S0-BDK-736

SEHEN ● STAUNEN · WISSEN

GESTEINE &
MINERALIEN

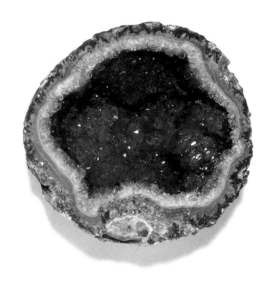

Scheibe einer
Septarie

Granat-Chlorit-Glimmerschiefer

Hämatit
(Glaskopf)

Zinnober

Granit

Gips-Sandrose

Kalkstein aus dem Wenlock
mit versteinerten Trilobiten

Opal

Geschliffene
Turmaline

SEHEN ◉ STAUNEN · WISSEN

GESTEINE &
MINERALIEN

Die verborgenen Schätze unserer Erde
Entstehung, Aussehen, Fundorte

Text von R. F. Symes u. a.

Goethit

Obsidian

Pyrit

Nephrit-
„Tiki"

Labradorit

Schwefel

Gerstenberg Verlag

Lupe

Verschiedene
rohe und
polierte Kiesel

Bibliografische Information Der Deutschen Bibliothek

Die Deutsche Bibliothek verzeichnet diese Publikation in der
Deutschen Nationalbibliografie; detaillierte bibliografische
Daten sind im Internet über *http://dnb.ddb.de* abrufbar.

DK

Ein Dorling-Kindersley-Buch
Originaltitel: Eyewitness Guides: Rock & Mineral
Copyright © 1987 Dorling Kindersley Ltd., London
Projektleitung: Janice Lacock
Layout und Gestaltung: Neville Graham, Jane Owen
Fotografie: Colin Keates, Andreas Einsiedel
Wissenschaftliche Beratung: Dr. R. F. Symes, Dr. Wendy Kirk
Text von R. F. Symes und Mitarbeitern des Naturhistorischen
Museums, London

Aus dem Englischen von Almut Heller
Redaktionelle Bearbeitung der deutschsprachigen Ausgabe von
Klaus-Dietrich Petersen, Ernst Skalicky, Markus Brinkmann
Deutsche Ausgabe Copyright © 1988, 2002
Gerstenberg Verlag, Hildesheim
Alle deutschsprachigen Rechte vorbehalten

Satz: Gerstenberg Druck GmbH, Hildesheim
Printed in China

www.gerstenberg-verlag.de

ISBN 3-8067-4540-4

04 05 06   5 4 3

Meißel

Geologenhammer

Kamee aus Chalzedon

Inhalt

Geschliffener Zitrin

Baryt-Sandrose

Farbloser Topas

Geschliffener Amethyst

Die Erde
6

Was sind Gesteine und Mineralien?
8

Wie Gesteine entstehen
10

Verwitterung und Erosion
12

Gesteine an der Meeresküste
14

Magmatische Gesteine
16

Vulkanische Gesteine
18

Sedimentgesteine
20

Kalksteinhöhlen
22

Metamorphe Gesteine
24

Marmor
26

Werkzeug aus Stein
28

Farbstoff aus Stein
32

Bausteine
34

Wie Kohle entsteht
36

Fossilien
38

Gestein aus dem All
40

Gesteinsbildende Mineralien
42

Kristalle
44

Der Habitus
46

Die Eigenschaften der Mineralien
48

Edelsteine
50

Schmucksteine
52

Weniger bekannte Edelsteine
54

Erze und Metalle
56

Edelmetalle
58

Schleifen und Polieren
60

Gesteine und Mineralien sammeln
62

Register
64

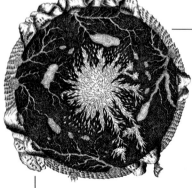

Die Erde

Die Erde, einer der neun Planeten, die um die Sonne kreisen, ist ungefähr 4,6 Milliarden Jahre alt. „Geologie" heißt wörtlich „Lehre von der Erde". Da die Gesteine Informationen über die Vergangenheit der Erde speichern, werden sie von den Geologen erforscht. So können die Prozesse und Ereignisse, die zur Entstehung der Erde führten, entschlüsselt werden. Da bis heute alle Bohrungen nur wenige Kilometer tief in die Erdkruste reichen, haben wir keinen direkten Zugang zu den Mantelgesteinen. Die auf dieser Doppelseite dargestellten Gesteine und Mineralien stammen von den unterschiedlichsten Fundorten. Sie machen den Leser mit grundlegenden Merkmalen und Begriffen vertraut, die später ausführlicher erklärt werden.

DER AUFBAU DER ERDE
Die Erde besteht aus dem Kern, dem Mantel und der Kruste. Die Kruste und der äußere Mantel bilden die kontinentalen und ozeanischen Platten, die sich langsam über dem darunter liegenden Mantel bewegen. Zum Zentrum der Erde hin nehmen sowohl die Temperatur als auch der Druck zu.

Kruste:
670 km dick

Fester Mantel:
ca. 2.900 km dick

Geschmolzener
äußerer Kern: ca.
2.300 km dick

Fester innerer Kern:
Radius ca. 1.200 km

Basaltisches Magma
aus dem Mantel

Kontinentale Platte

Ozeanische
Platte

Mittelozeanischer
Rücken

Vulkankette

BEWEGUNG DER PLATTEN
Wo die Platten miteinander kollidieren, können die Gebirgsketten wie beispielsweise der Himalaja entstehen. In den Ozeanen füllt Material aus dem Mantel die Lücken zwischen den Platten und bildet so die mittelozeanischen Rücken.

EDELMETALLE
Platin, Silber und Gold sind wertvolle, seltene Metalle (S. 58–59).

STRANDGERÖLLE
Sie entstehen aus größeren Steinblöcken durch Verwitterung und die Einwirkung der Wellen (S. 14–15).

Gold in einer
Quarzader

KRISTALLHABITUS
Form und Ausmaße eines Kristalls werden als Habitus bezeichnet (S. 46–47).

Pyritwürfel

ERZE
Sie sind das Ausgangsprodukt vieler nützlicher Metalle (S. 56–57).

Geschliffener
Zitrin, eine
Sonderform
des Quarzes

Kassiterit,
ein Zinnerz
aus Bolivien

Diamant in
Kimberlit

EDELSTEINE
Seltene, widerstandsfähige und schöne Mineralien können als Edelsteine geschliffen werden. Sie werden hauptsächlich für Schmuck verwendet (S. 50–55).

Quarzkristalle
aus Frankreich

KRISTALLE
Viele Mineralien bilden feste Körper mit geraden Kanten und regelmäßig orientierten Facetten aus: die Kristalle (S. 44–47).

Kalkstein
mit Muschel-
fossilien

FOSSILIEN
Fossilien sind die in den Gesteinen enthaltenen Reste oder Abdrücke von Pflanzen und Tieren (S. 38–39).

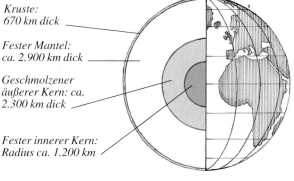

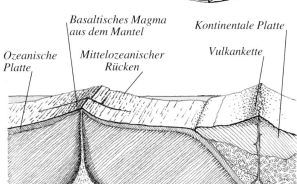

Quarzit-
gerölle

**MAGMATISCHE
GESTEINE**
Die häufigsten Gesteine
entstehen aus geschmol-
zenem Magma
(S. 16–17).

Granit

**VULKANISCHE
GESTEINE**
Vulkanische Aktivität
erzeugt eine ganze
Reihe verschiedener
Gesteine und Lava-
arten (S. 18–19).

Delta

Suezkanal

Kairo

Nil

**SATELLITENBILD
VON NIL UND
NILDELTA**
Der Nil transportiert
Schutt, d.h. erodierte
Gesteine aus Zentral-
ägypten, und lagert sie
in seinem Delta und
im Meer ab. Schließ-
lich entstehen daraus
Sedimentgesteine
(S. 11 u. 20).

Zähflüssige
Lava aus
Hawaii

Kalkstein aus
dem Karbon

*Ingito-Berge am Rand
des Ostafrikanischen
Grabens*

Amboseli-Salzsee

Chyulu-Berge, Kenia

SEDIMENTGESTEINE
Diese Gesteinsgruppe ent-
steht durch die Verfesti-
gung von Ablagerungen,
die durch die Ero-
sion anderer Ge-
steine entstanden
sind (S. 20–23).

Anthrazit, die härteste
Kohlesorte

KOHLE
Kohle ist ein Sedimentgestein aus den
unter hohem Druck verdichteten Resten
von Pflanzen (S. 36–37).

Berg Meru

*Kilimand-
scharo*

*Pangani-
Flusstal*

*Kibo-
Gletscher*

SATELLITENFOTO VON OSTAFRIKA
In diesem Gebiet gibt es eine Reihe von Landschaften, die ihr
Gepräge verschiedenen Gesteinen verdanken, z. B. vulkanischen
Gesteinen (S. 18), aus denen der Vulkan Kilimandscharo besteht,
und Evaporiten in ausgetrockneten Seen.

Was sind Gesteine und Mineralien?

Gesteine sind natürliche Aggregate oder Verbindungen eines oder mehrerer Mineralien. Manche Gesteine wie Quarzit (reiner Quarz) oder Marmor (reiner Kalzit) bestehen aus den Kristallen eines einzigen Minerals, die meisten Gesteine setzen sich allerdings aus mehreren verschiedenen Mineralien zusammen. Mineralien sind in der Natur vorkommende, anorganische Feststoffe mit exakt definierter chemischer Zusammensetzung und einem geordneten Atomgitter. Zwei häufig vorkommende Gesteine, Granit und Basalt, werden hier zusammen mit einzelnen Stufen der wichtigsten Mineralien, aus denen sie sich zusammensetzen, gezeigt. Die gesteinsbildenden Mineralien lassen sich in mehrere Gruppen unterteilen (S. 42–43).

James Hutton (1726–1797), einer der Begründer der modernen Geologie

GRANIT UND SEINE WICHTIGSTEN MINERALISCHEN BESTANDTEILE

I. Allg. sind mehrere Arten von Mineralien in einem Gestein enthalten. Ihre Größe und ihre Anordnung variieren je nach der Entstehung des Gesteins. Im grobkörnigen, magmatischen Granitgestein sind die drei Hauptbestandteile mit bloßem Auge erkennbar, es sind Quarz (graue Flächen), Feldspat (rosa und weiß) und Glimmer (schwarz).

Quarz

Glimmer

Feldspat

QUARZ

Gut ausgebildete Quarzkristalle können milchige, angeätzte Flächen haben wie beispielweise die hier gezeigte Gruppe.

Angeätzte Flächen

GLIMMER

Die schwarzen Biotitkristalle (eine Glimmersorte) lassen sich in hauchdünne Blättchen spalten.

BASALT UND SEINE WICHTIGSTEN MINERALISCHEN BESTANDTEILE

Basalt besteht hauptsächlich aus den drei Mineralien Olivin, Pyroxen und dem Feldspat Plagioklas. Die Bestandteile sind allerdings wegen der Feinkörnigkeit des Basalts nicht immer mit bloßem Auge sichtbar. Dieser Olivinbasalt stammt vom Krater des Vulkans Kilauea auf Hawaii.

OLIVIN

Grüne, durchsichtige Olivinkristalle kommen relativ selten vor, sie sind als Edelsteine unter den Bezeichnungen Peridot oder Chrysolith bekannt (S. 54).

FELDSPAT

Flache oder polierte Labradoritkristalle, ein Plagioklas aus Labrador (Nordamerika), erstrahlen in einem prächtigen Farbenspiel.

Schillerndes Blau und Orange ist an der Oberfläche sichtbar

Augitkristall

Gesteinsmatrix

PYROXEN

Dieser gut entwickelte schwarze Einzelkristall der Pyroxenvarietät Augit stammt aus Italien. Augitkristalle kommen in vielen magmatischen Gesteinen vor

FELDSPAT

Orthoklaskristalle (ein Feldspat) sind oft milchig weiß oder hellrosa gefärbt.

Gesteinsformen

Die Erscheinungsformen der Gesteine und Mineralien sind vielfältig. Gesteine sind nicht immer hart und fest, denn loser Sand und feuchter Ton werden beispielsweise auch als Gesteine betrachtet. Die Größe der Einzelmineralien reicht von weniger als einem Millimeter in einem feinkörnigen, vulkanischen Gestein bis zu mehreren Metern in einem Granitpegmatit.

GESTEINE IM GESTEIN

Dieses Handstück eines Sedimentgesteins ist eine tonige Septarie. Derartige Knollen entstehen, wenn Porenwasser Mineralien innerhalb eines Gesteins umverteilt, sodass sie ein Muster bilden. Diese Knollen werden manchmal auch „Konkretionen" genannt. Hier sind es Kalzitadern, die das Muster bilden.

GESTEINE, DIE DURCH WASSERVERDUNSTUNG ENTSTEHEN

Stalaktiten entstehen aus Stoffen, die sich ablagern, wenn Tropfwasser verdunstet (S. 22). Dieser eindrucksvolle, blaue Stalaktit besteht aus einem einzigen Mineral: Chalkanthit (Kupfersulfat); er entwickelte sich aus mit Kupfer angereichertem Sickerwasser in einem Bergwerk.

Ein durch Ablagerungen des Kupferminerals Chalkanthit bunt gefärbtes Stollengewölbe.

KRISTALLE EINES ERZMINERALS

Solche rotorangefarbenen, tafelförmigen Kristalle des Minerals Wulfenit kommen in Molybden führenden Erzadern vor. Dieses Stück stammt aus Arizona (USA).

Ausbruch des Mont Pelée auf Martinique am 5. August 1851

Helleres Pyroxen- und Plagioklas-Band

Dunkle Chromitlage

GESTEINE AUS VULKANAUSBRÜCHEN

Trotz seines außergewöhnlichen Aussehens ist „Peles Haar" genau genommen auch ein Gestein. Es besteht aus goldbraunen, haarähnlichen Basaltglasfasern, die vereinzelt winzige Olivinkristalle einschließen. Dieses Gestein entstand, als basaltartige Lava bei dem Vulkanausbruch zerstäubt wurde.

GEBÄNDERTE GESTEINE

Norit ist ein magmatisches Gestein, das sich aus den Mineralien Pyroxen, Plagioklas und dem chromreichen Chromit zusammensetzt. In diesem Handstück aus Südafrika haben sich die hellen und dunklen Mineralien voneinander getrennt, sodass das Gestein gebändert ist. Aus den dunklen Chromitlagen wird Chrom gewonnen.

Wie Gesteine entstehen

Die geologischen Prozesse wirken in festgelegten Kreisläufen, die jeweils die chemischen Elemente, Mineralien und Gesteine an und unter der Erdoberfläche umverteilen. Die Prozesse in der Erdkruste, wie Metamorphose und Gebirgsbildung, werden von der Wärme des Erdinneren gesteuert, die Oberflächenprozesse, wie die Verwitterung, hauptsächlich von der Sonnenenergie.

Andesit aus einem Vulkanausbruch auf den pazifischen Salomoninseln

VULKANISCHE AKTIVITÄT

Wenn Gesteine der Kruste und des äußeren Mantels schmelzen, verwandeln sie sich in Magma, das durch vulkanische Tätigkeit bis zur Erdoberfläche aufsteigen kann. Daraus ergeben sich extrusive, magmatische Gesteine (S. 16). Das häufigste Gestein aus dieser Familie ist der Basalt.

Reiner Quarzsand is das Verwitterungs produkt von Grani oder Sandstein

Basaltische Lava aus Hawaii

VULKANISCHER ORIENTIERUNGSPUNKT

Der Puy de Dôme in Frankreich, ein landschaftsprägendes Felsmassiv, ist der Kern eines erloschenen Vulkans.

Gabbro ist das grobkörnige Äquivalent zum Basalt

MAGMATISCHER INSELBERG

Der bekannte Zuckerhut in Brasilien besteht aus intrusiven, magmatischen Gesteinen, die infolge der Verwitterung der darüber liegenden Gesteine freigelegt wurden.

Vulkanische Aktivität — Verwitterung

Oberfläche

Magmatische Gesteine

Schmelze

Mag

Granit aus Nordengland mit großen, rosafarbenen Feldspatkristallen

Migmatit aus Finnland

SCHMELZVORGANG (rechts)

Unter Umständen führen hohe Temperaturen und großer Druck dazu, dass die Gesteine teilweise aufschmelzen. Wenn sie später zusammengepresst werden, können schlangenförmige Adern entstehen. Migmatite sind solche Mischgesteine mit einem metamorphen Primärgestein wie Gneis oder Glimmerschiefer, das von Granitadern durchzogen ist.

GESTEINE AUS DEM MAGMA

Gesteine, die im Erdinneren aus geschmolzenem Magma kristallisieren, sind sogenannte intrusive, magmatische Gesteine (S. 11). Sie werden auch Tiefengesteine oder Plutonite genannt. Eines davon, der Granit, kann in den Gebirgen riesengroße Massen bilden, die „Batholithe" heißen.

VERWITTERUNG
Der Wettereinfluss kann eine chemische Veränderung der Gesteine bewirken oder zu ihrer völligen Zerkleinerung führen (S. 12), wobei Sedimente entstehen. Quarzhaltige Gesteine verwittern zu Sand, während aus der Verwitterung feldspatreicher Gesteine Ton entsteht.

Ton ist ein wichtiger Bestandteil der Böden.

ABLAGERUNG DER SEDIMENTE
Sedimente werden von Flüssen, in Wüstengebieten dagegen vom Wind transportiert. Sobald die Strömungsgeschwindigkeit des Transportmediums abnimmt, etwa, wenn ein Fluss in einen See mündet, setzt sich das Sediment in Lagen mit Partikeln verschiedener Korngröße ab. Durch die Verdichtung dieser Ablagerungen entstehen Sedimentgesteine (S. 20).

Geschichteter Sandstein aus Arkansas (USA)

FLUSSTRANSPORT
Flüsse wie dieser (Satellitenaufnahme) transportieren immer Gesteinsbruchstücke mit sich. Allein der Mississippi lagert Tag für Tag tausende von Tonnen Sedimente in seinem Delta ab.

Gebänderter Ton aus Uganda

DER KREISLAUF DER GESTEINE
Dieser Kreislauf hat keinen Anfang und kein Ende. Seit Millionen von Jahren beginnt er immer wieder neu.

Transport

Ablagerung

ärme und Druck

Sediment-
gesteine

etamorphe
esteine

200 Mio. Jahre alter Wüstensandstein aus Schottland

METAMORPHE GESTEINE
Quarzadern durchziehen diesen Schieferaufschluss in Schottland. Diese Region ist sehr reich an metamorphen Gesteinen.

Quarzit, ein durch Druck und Hitze in größerer Tiefe umgewandelter Sandstein

Gneis, ein gebändertes metamorphes Gestein

Granit

Gneis

Glimmerschiefer aus der Metamorphose von Tonschiefer

METAMORPHOSE
Je tiefer ein Gestein unter der Erdoberfläche liegt, desto größer ist der von den darüber liegenden Gesteinsmassen ausgehende Druck und desto höher ist die Temperatur. Druck und Wärme bewirken eine Umwandlung oder „Metamorphose", bei der die Mineralien umkristallisieren. Die neu entstandenen Gesteine werden metamorphe Gesteine genannt (S. 24).

Verwitterung und Erosion

An der Erdoberfläche zersetzen sich alle Gesteine. Verwitterung ist vor allem eine chemische Reaktion, die durch die Anwesenheit von Wasser unterstützt wird. Gesteine werden außerdem durch mechanische Prozesse zersetzt, zu denen Regen, abwechselndes Frieren und Tauen, die abtragende Wirkung von sedimentbeladenem Wasser, Erosion genannt, Wind oder Eis gehören, oder durch eine Kombination dieser Faktoren.

Winderosion

Ständiger Angriff von sandbeladenem Wind kann ein Gestein allmählich abschleifen und erodieren.

MONUMENT VALLEY (USA)
Die Abtragung (Abrasion) durch den Wind hat hier auffallende Gesteinsblöcke, die Zeugenberge, hinterlassen.

EROSION DURCH WIND
Der Wind trägt die weichen Gesteinslagen in stärkerem Maße ab und lässt die härteren Lagen hervortreten.

SANDSCHLIFF
Gesteinsbruchstücke in der Wüste, an denen durch den Flugsand Facetten entstanden sind, heißen Windkanter oder Dreikanter.

Verwitterung durch Temperaturschwankungen

Kommt es durch Temperaturveränderungen abwechselnd zu Ausdehnungen und Kontraktionen, können Gesteine zerbrechen. Auch Sickerwasser vergrößert sein Volumen, wenn es gefriert, und kann so Gesteine schließlich sprengen.

Sandstein aus Sandkörnern, die vor 200 Mio. Jahren in einem Wüstengebiet angehäuft wurden.

Sand aus einer heutigen Wüste in Saudi-Arabien

EROSION IN DER WÜSTE
Gesteine, die im Wüstenklima, wo das Sediment durch den Wind transportiert wird, entstanden sind, haben oft eine rötliche Farbe und bestehen aus charakteristischen, gerundeten Sandkörnern.

WÜSTENMILIEU
Wind- und Temperaturschwankungen bewirken eine ständige Erosion der Gesteine und lassen z.B. in der Sahara bizarre, unwirtliche Landschaften entstehen.

„ZWIEBELSCHALEN"
Die Oberflächenlagen des Gesteins dehnen sich infolge von Temperaturschwankungen abwechselnd aus und ziehen sich wieder zusammen.

Feinkörnig
Dole

Zwieb
schalenförm
verwitter
Dole

Du
Tempera
schwankun
entstandene
gelöste La
die an Zwie
schalen erinn

12

Chemische Verwitterung

Nur wenige Mineralien können dem Angriff des sauren Regens widerstehen. An der Bodenoberfläche ausgewaschene Mineralien können in den Unterboden und die darunter liegenden Gesteine getragen und neu abgelagert werden.

Frischer, unverwitterter Granit

Grober, verwitterter Granit

VERÄNDERUNGEN DER MINERALIEN
Granit wird durch gefrierendes Wasser gespalten. Die Mineralien werden dann chemisch verändert, wobei grobe Gesteinsfragmente entstehen.

GRANITFELSEN MIT WOLLSACKSTRUKTUR
Solche gerundeten Steingebilde entstehen, wenn das umgebende Gestein entlang von Spalten und Klüften erodiert ist.

Mineralablagerungen an Eisen durch Sickerwasser

Sekundäre Mineralien

CHEMISCHE VERÄNDERUNGEN
Die chemische Verwitterung eines Erzganges kann eine Umlagerung von Mineralien bewirken. Die grellfarbigen Mineralien entstanden aus Ablagerungen, die durch Verwitterung in höheren Gesteinsschichten gelöst wurden. Es sind sekundär-hydrothermale Ablagerungen.

VERWITTERUNG IN DEN TROPEN
Unter bestimmten tropischen Klimabedingungen wird Quarz gelöst und weggetragen, während Feldspate zu Tonmineralien werden, die sich als dicke Bauxitablagerungen an der Oberfläche anhäufen können (S. 56).

Eiserosion

Die zu Tal rutschenden Gletscher nehmen Gesteinsfragmente auf, die in die Eissohle einfrieren. Die Masse bewirkt weitere Erosion der darunter liegenden Gesteine.

ΑS PARTHENON IN ATHEN
hemikalien in der Luft können mit dem tein reagieren und erhebliche Verwitterungsschäden verursachen.

Großes Gesteinsfragment

Durch einen Gletscher verursachte Schrammen

GLETSCHERSCHLIFF
Die tiefen, eingeritzten Schrammen auf diesem Kalkstein aus Grindelwald (Schweiz) stammen von abrasiv wirkenden Gesteinsbrocken in einem Gletscher.

DER MORTERATSCH-GLETSCHER IN DER SCHWEIZ
Gletscher sind die Hauptverursacher der Erosion in den Gebirgen.

GLETSCHERABLAGERUNGEN
Geschiebemergel ist eine Ablagerung, die als Grundmoräne von dem schmelzenden Gletscher zurückgelassen wird und aus Gesteinsbruchstücken von mikroskopischer Korngröße bis zu großen Geröllen besteht. Ehemalige Grundmoränen, die zu hartem Gestein verfestigt wurden, nennt man Tillite. Dieses Exemplar stammt aus Flinders Range (Südaustralien).

Gesteine an der Meeresküste

An der Meeresküste kann man interessante geologische Prozesse beobachten. An vielen Küsten stehen Klippen, an deren Fuß sich herabgefallene, grobe Gesteinstrümmer ansammeln. Diese Ablagerungen werden nach und nach vom Meer in Geröll, Kies, Sand und Schlick zerkleinert. Dann werden die Sedimente in verschiedene Korngrößen sortiert, d.h. getrennt gelagert. Sie bilden das Rohmaterial für zukünftige Sedimentgesteine (S. 20).

Gerölle am *Chesil Beach* (England)

VERSCHIEDENE KORNGRÖSSEN

Am Strand wird der Kies durch Wellenbewegung und Gezeiten nach Größe „sortiert". Der Sand stammt aus einem in der Nähe liegenden Gebiet. Es ist reiner Quarz; die übrigen gesteinsbildenden Mineralien sind durch die Wellenbewegung herausgewaschen worden.

(Steine: > 63 mm)

Unregelmäßig geformte Pyritknolle

HÜPFENDE STEINE

Jedes Kind weiß, dass flache Steine am besten auf der Wasseroberfläche hüpfen können. Meistens handelt es sich dabei um sedimentäre oder metamorphe Gesteine, da sich diese Steine oft leicht blättrig spalten lassen.

Glimmerschiefer

Schiefer

STEINE „ALS VISITENKARTEN"

Diese Gerölle spiegeln die geologischen Verhältnisse ihrer näheren Umgebung wider, denn alle stammen aus der Nachbarschaft des Strandes, an dem sie aufgesammelt wurden. Es sind metamorphe Gesteine, die zu flachen Scheiben verkleinert wurden.

VERSTECKTE KRISTALLE

Pyritknollen treten häufig in Kreideformationen auf. Sie können interessante Formen annehmen. Unterhalb der glanzlosen Oberfläche verbergen sich unvermutet strahlende Kristalle.

MUSCHELKIES

Leere Seemuschelschalen sind einer ständigen Wellenbewegung ausgesetzt. Mit der Zeit werden die scharfen Kanten der zerbrochenen Schale gerundet, sodass kleine Gerölle entstehen.

BERNSTEIN-GERÖLLE

Bernstein ist das fossile Harz von Nadelbäumen, die vor tausenden von Jahren wuchsen. Er ist v. a. an der Ostseeküste, in Russland und Polen zu finden.

VERSTEINERTE WELLEN

Rippelmarken entstehen unter Wasser, wenn Sand durch Strömungen bewegt wird. Diese in einem Sandstein aus Finnland erhalten gebliebenen Rippeln zeigen, dass auch in der Vergangenheit sedimentäre Prozesse stattfanden, die den heutigen sehr ähnlich sind (S. 20).

CHWARZSANDE

 Gebieten mit vulkanischer Ak-
vität kann Strandsand reich an
unklen Mineralien sein, während
uarz oft fehlt. Dieser Olivinsand
ammt aus Raasay (Schottland),
er magnetithaltige Sand von Te-
eriffa.

Dunkler Olivinsand

Magnetithaltiger Sand

Schwarzer, vulkanischer Asche-
strand an der Nordküste von Santorin (Griechenland)

Grobkies (DIN-Norm
20–63 mm)

Mittelkies (6,3–20 mm)

Feinkies (< 6,3 mm)

Quarzsand

*Gerundete,
gelbliche
Oberfläche*

*Radial angeordnete,
glitzernde Kristalle*

WAS STECKT
IN DER KREIDE?
Flintknollen widerstehen
der Abrasionswirkung der
Wellen recht lange. Sie
finden sich daher in
großer Zahl an Strän-
den in Gebieten, in de-
nen Kreidekalk ansteht.

In Kreideklippen verbergen sich
oft Pyrit- und Flintknollen.

GRANITISCHER
URSPRUNG
Wo Granit ansteht,
sind Strandgerölle
aus Quarz, einem
häufigen Gang-
mineral, sowie
aus rosa oder
grauem Granit
verbreitet.

Flintknollen vom Strand unterhalb einer Kreideklippe

ORTSFREMDES
MATERIAL
Nicht alle
Gerölle stam-
men aus der
unmittelba-
ren Um-
gebung.
Dieses por-
phyrische,
vulkanische
Gestein ist
wahrscheinlich
durch Eis in der
letzten Eiszeit von
Norwegen quer über
die Nordsee nach Eng-
land transportiert worden.

Strandgeröll aus Glas

Geröll aus Ziegelstein

KÜNSTLICHE GERÖLLE
Abgesehen von den natürlichen Mineralien und Gesteinen
können auch Gegenstände, die vom Menschen hergestellt
wurden, ans Ufer gespült werden, etwa Schiffsballast oder
Abfall. Einiges davon wird dann von den Wellenbewegun-
gen abgeschliffen und gerundet.

STRANDSCHUTZ
Künstliche Buhnen sollen
Kies und Sand festigen.

Magmatische Gesteine

Basaltnadel auf St. Helena

Diese Gesteine entstehen durch Abkühlung und Erstarrung von aus der tieferen Erdkruste oder dem äußeren Mantel aufgestiegenem, geschmolzenem Magma. Es gibt zwei Arten magmatischer Gesteine. Die Tiefengesteine erstarren als Intrusionen der Erdkruste und kommen erst an die Oberfläche, nachdem die darüber liegenden Gesteine abgetragen worden sind. Erkaltet das als Lava aus einem Vulkan ausgetretene Magma an der Erdoberfläche, handelt es sich um ein vulkanisches Gestein.

BASALTSÄULEN
Erkaltender Basalt erstarrt oft in Form sechseckiger (hexagonaler) Säulen. Der *Giant's Causeway* (Chaussee der Riesen) in Nordirland ist ein eindrucksvolles Beispiel.

Biotitgranit

Schriftgranit

Rosa Gran

Die schwarzen Körner sind Biotitkristalle. Biotit ist ein Glimmer (S. 42).

Die länglichen, geknickten Quarzkristalle sehen gegen die hellrosafarbenen Feldspatkristalle wie die Buchstaben einer altertümlichen Schrift aus.

Die Farbe rührt von de hohen Anteil an Kaliumfe spat im Gestein h

GRANIT
Granit ist ein weit verbreitetes Tiefengestein. Es besteht aus den drei Mineralien Quarz, Feldspat und Glimmer als Hauptkomponenten. Die einzelnen Kristalle sind deshalb so groß, weil das Magma tief unter der Erdoberfläche nur langsam abkühlte. Granit ist i. Allg. unregelmäßig bunt gemustert; die Grundfarbe wechselt. Je nach dem Verhältnis der Hauptbestandteile spielt sie mehr ins Grau oder Rot. Granit kommt in vielen Erdteilen vor. Der hier gezeigte Biotitgranit stammt aus Hay Tor, einem Aufschluss am höchsten Punkt von Dartmoor in Südwestengland.

PECHSTEIN
Aus sehr rasch erkalteter Lava entstanden, enthält Pechstein einige Feldspat- und Quarzkristalle und hat ein mattes, pechähnliches Aussehen. Pechstein kann eine braune, schwarze oder graue Farbe mit sichtbaren Feldspat- und Quarzkristallen aufweisen.

OBSIDIAN
Wie Pechstein ist Obsidian ein durch sehr schnelle Abkühlung der Lava entstandenes Glas. Er erstarrt so schnell, dass sich die Kristalle nicht ausbilden können. Die scharfen Kanten dieses Handstückes aus Island sind typisch für Obsidian, der in der Steinzeit als Rohstoff für Werkzeuge sehr geschätzt war (S. 29).

Olivin

Pyroxen

Plagioklas

GABBRO
Gabbro ist ein Tiefengestein mit dunklen Mineralien wie Olivin und Augit. Er ist wegen der bei der langsamen Abkühlung des Magmas entstandenen großen Kristalle grobkörnig. Dieser Gabbro stammt von der Insel Skye in Schottland.

Feldspateinsprenglinge

PORPHYR
Porphyre sind vulkanische Gesteine mit großen, als Einsprenglinge bezeichneten Kristallen in einer feinkörnigen Masse. Dieses Stück enthält solche Feldspateinsprenglinge und stammt aus Wales.

DÜNNSCHLIFF EINER GABBROPROBE
Unter einem Mikroskop mit polarisiertem Licht zeigen sich an sehr dünn geschliffenen Gesteinsproben verborgene Merkmale wie die Kristallgeometrie (S. 42). Die bunten Kristalle im Bild sind die eisen- und magnesiumhaltigen Mineralien Olivin und Pyroxen, das graue Mineral ist Plagioklas (ein Feldspat).

Basalt mit Blasentextur

Leere Blasen-hohlräume

Basalt-mandelstein

BASALT
Aus erstarrter Lava entstanden, ist Basalt das häufigste vulkanische Gestein. Er hat die gleiche Zusammensetzung wie Gabbro, aber die Einzelmineralien weisen viel geringere Korngrößen auf. Wenn die Lava erkaltet, kann sie sich in vieleckige (polygonale) Säulen teilen. Die Basaltnadel auf St. Helena und der *Giant's Causeway* in Irland zeigen dieses Phänomen besonders eindrucksvoll.

Hohlräume mit Kalzit gefüllt

VULKANISCHE GESTEINE MIT BLASENTEXTUR
Beide Gesteine (oben) sind Basalte, in denen Gasblasen in der heißen, zähen Lava bei der Abkühlung eingeschlossen blieben. Basalt mit Blasentextur ist leicht porös. Im Basaltmandelstein wurden die Hohlräume später mit einem fremden Mineral wie z.B. Kalzit ausgefüllt. Die beiden Gesteine wurden auf Hawaii gefunden, wo rege vulkanische Aktivität herrscht

PERIDOTIT
Peridotit ist ein dunkles, schweres Gestein mit den Mineralien Olivin und Pyroxen als Hauptbestandteil. Man nimmt an, dass Peridotit unter der Gabbroschicht, 10 km unter dem Ozeanboden, zu finden ist. Das abgebildete Stück stammt aus dem Odenwald.

Grüne Olivinkristalle

Dunkle Pyroxenkristalle

Kalzitader

SERPENTINIT
Wie der Name schon vermuten lässt, enthält dieses grobkörnige, rotgrüne Gestein Serpentin als Hauptmineral. Es ist hier von weißen Kalzitadern durchzogen. Serpentinit ist in den Alpen verbreitet.

Vulkanische Gesteine

Ausbruch des Eldfell-Vulkans auf Island 1973

Die durch vulkanische Aktivität entstandenen Gesteine kann man in zwei Gruppen unterteilen: die pyroklastischen Gesteine einerseits und die basischen und sauren Laven andererseits. Pyroklastische Gesteine entstehen aus eher festen Gesteinsfragmenten oder verformbaren Lavabomben, die aus dem Krater herausgeschleudert werden. Die Lavabomben erstarren, während sie durch die Luft fliegen. Gesteine aus erstarrter Lava variieren je nach der Beschaffenheit des Materials. Saure Lava ist zähflüssig und bildet Vulkane mit steilen Hängen. Die dünnflüssigere basische Lava bildet flache Vulkane oder ergießt sich aus Spalten am Meeresgrund. Da basische Lava schnell fließt, verbreitet sie sich rasch über große Flächen.

Pyroklastische Gesteine

Pyroklastisch heißt „durch Feuer gebrochen". Diese Bezeichnung ist sehr passend für Gesteine aus Gesteins- und Lavabrocken, die durch explodierende Gase verstreut wurden.

Vulkanischer Tuff aus der Umgebung eines Kraters

VULKANISCHE TUFFE
Die Kraft der Explosion kann die Gesteine zersprengen. Die dadurch entstehende Mischung aus kantigen Gesteinsbrocken (Brekzien) füllt o? den Zentralschlot oder lagert sich i? der Nähe des Kraters ab. Die so entstandenen Gesteine nennt man vulkanische Tuffe.

VULKANISCHE BOMBEN
Weiche Lavabrocken, die bei einem Vulkanausbruch ausgeworfen werden, können in der Luft aushärten und als „Bomben" wieder zu Boden fallen. Diese beiden Exemplare haben die Form eines Rugby-Balls. Lavabomben können aber auch kugelförmig oder unregelmäßig geformt sein.

Schlotbrekzie

Asche

SCHNITT DURCH EINEN VULKAN
Die Lava strömt aus einem Hauptkrater oder entweicht durch Nebenkrater. Im Untergrund können Lavagänge, die die Gesteinsschichten durchschneiden, und andere, parallel zur Schichtung (= Sills), aus gehärteter Lava entstehen.

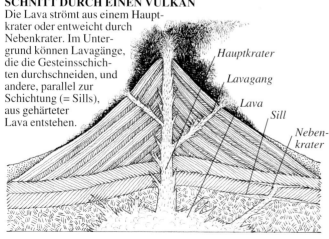

Hauptkrater

Lavagang

Lava

Sill

Nebenkrater

Geschichteter Aschetuff

WINDVERSTREUTE PARTIKEL
Feine vulkanische Asche kann tausende von Kilometern durch die Atmosphäre transportiert werden. Wo sie sich ablagert und verfestigt, entstehen Aschetuffe. Diese Asche wurde 1980 bei einem Ausbruch des Mt. St. Helen (USA) ausgeschleudert. Die groben Körner wurden 5 km weit geblasen, die feinen 27 km.

Ausbruch des Mt. St. Helen (1980

Saure Laven

Zähflüssige, saure Laven bewegen sich sehr langsam und können schon im Schlot aushärten, wobei die Gase eingeschlossen werden. Durch ansteigenden Druck können sie dann explodieren und pyroklastische Gesteine entstehen lassen.

SCHWIMMENDE GESTEINE

Bimsstein ist ausgehärteter Lavaschaum. Weil der Schaum Gasblasen enthält, ist das Gestein ähnlich wie Honigwaben von Hohlräumen durchsetzt. Bimsstein ist das einzige Gestein, das in Wasser schwimmt. Das abgebildete Stück stammt von den Lipari-Inseln in Italien.

NATURGLAS

Obwohl von gleicher chemischer Zusammensetzung wie Bimsstein, hat Obsidian eine völlig andersartige, glasige Textur. Wegen seiner scharfen Bruchkanten stellten die Steinzeitmenschen Werkzeuge, Pfeilspitzen und Schmuck daraus her (S. 29).

SIRUPARTIGE LAVEN

Dieses helle, feinkörnige Gestein heißt Liparit. Die charakteristischen Bänder entstanden, als die klebrige, zähflüssige Lava eine kurze Strecke weit floss.

Basische Laven

Diese Laven sind dünnflüssig und können weite Gebiete bedecken. Dabei wird der Krater nicht verstopft und die Gase können frei entweichen, sodass wenig pyroklastische Gesteine entstehen, obwohl viel Lava vorhanden ist.

KRIECHENDE LAVEN

Basaltische Laven sind dünnflüssig und verteilen sich schnell über größere Flächen. Die abgebildete Basaltprobe stammt vom Hualalai, einem der zahlreichen Vulkane auf Hawaii.

STRICK-LAVA

Während die Lava fließt, kühlt die Oberfläche ab. Es entsteht eine Haut, die sich faltet und zerknittert, während die flüssige Masse innen weiterfließt.

MEHRFARBIGER BASALT

Die glitzernden Punkte in diesem Basalt sind grüne Olivin- und schwarze Pyroxenkristalle.

Aphthitalit

phthitalit

ESTEINE AUS GASEN

...s inaktiven Vulkanen, die „ru-
...n" oder „sterben", können im-
...r noch Gase entweichen und
...ße Quellen herausprudeln.
...ese bunten Gesteine entstan-
...n auf diese Art am Vesuv.

USBRUCH DES VESUVS

...eim Ausbruch des Vesuvs 79 n. Chr.
...ntstand eine *nuee ardente,* eine sich
...sch bewegende Wolke heißer
...ase, die Lava und Asche enthielt.
...amals wurde die römische Stadt
...ompeji völlig zerstört.

**E ZERSTÖRUNG
ROTIRIS 1450 v.Chr.**

Sedimentgesteine

Durch Verwitterung und Erosion zerbrechen die Gesteine in kleinere Gesteinsfragmente und Einzelmineralien. Dieses Material, das Sediment, kann schließlich transportiert und umlagert werden, oft gelangt es ins Meer oder in ein Flussbett. Die Sedimente werden in Schichten abgelagert, die überdeckt und kompaktiert werden. Mit der Zeit werden die Teilchen zu neuen Gesteinen zusammengekittet, die als Sedimentgestein bekannt sind. In großen Aufschlüssen ist es oft möglich, die verschiedenen Sedimentlagen mit bloßem Auge zu erkennen.

DÜNNSCHLIFF EINES KALKSTEINS
Unter dem Mikroskop werden feine Details dieses Ammoniten-Kalksteins sichtbar. Die Ammonitenschalen (S. 38) heben sich deutlich von der Kalkschlamm-Matrix ab. Anhand dieser heute ausgestorbenen Ammoniten kann man erkennen, dass das Gestein ca. 160 Mio. Jahre alt ist.

Kalkschlamm-Matrix

Ammonitenschale

Im Gestein eingebettete Schalenreste

Kreide

Oolithenka

KALKLIEFERANTEN *ganz oben*
Foraminiferen sind Meeresorganismen, die Kalk produzieren. Obwohl sie selten größer sind als ein Stecknadelkopf, spielen sie eine sehr wichtige Rolle bei der Entstehung der Sedimentgesteine. Wenn sie sterben, sinken ihre Gehäuse auf den Meeresgrund, wo sie schließlich zu Kalkstein verfestigt werden.

Schalenhaltiger Kalk

Gastropoden-Kalkstein

Reste von Schneckenhäusern

Kugelige Körner, die als Oolithen bekannt sind

FLINT
Flint besteht vorwiegend aus Kieselsäure (S. 42); er kommt in Form von Knollen in Kalksteinen, insbesondere in Kreide vor. Flintknollen sind grau oder schwarz, ihre Oberfläche ist aber oft von einem pulverig aussehenden, weißen Belag bedeckt. Wie Obsidian (S. 16) hat Flint einen muscheligen Bruch.

KALKSTEIN
Viele Sedimentgesteine setzen sich aus Resten lebender Organismen zusammen. In einigen sind diese Überreste deutlich sichtbar, wie bei diesen Kalksteinen mit Muschelschalen und Schneckenhäusern. Kreide hingegen, auch ein Kalkstein, wird von den Skeletten von Meerestieren gebildet, die so klein waren, dass man sie mit bloßem Auge nicht erkennen kann. Ein anderer Kalkstein, der Oolithenkalk, entsteht im Meer, indem Kalzit sich schalenförmig um Sandkörner anlagert. Die Kügelchen werden laufend größer, solange sie von den Wellen hin und her bewegt werden.

ALGENKALK
Sogenannte „schlammige" Kalksteine wie der hier abgebildete, werden im Englischen oft als „Landschaftsmarmor" bezeichnet, weil die Kristallisation der Mineralien Muster hervorruft, die entfernt an Bäume und Büsche erinnern.

Poröses, unregelmäßiges Gestein

KALKTUFF
Dieser ungewöhnlich aussehende, poröse Evaporit entsteht bei der Verdunstung von Quellwasser. Man findet solche Gesteine manchmal in Kalksteinhöhlen (S. 22).

Diese Gipskristalle sind wie Gänseblümchenblätter von einem zentralen Punkt aus gewachsen.

EVAPORITE
Einige Sedimentgesteine entstehen durch Verdunstung von Salzwasser. Beispiele sind der Gips und das besser unter dem Namen Steinsalz bekannte Halit, aus dem Tafelsalz gewonnen wird. Gips wird benutzt um Mörtel herzustellen; in seiner massiven Gestalt heißt er Alabaster. Gips und Halit sind Mineralien, die weltweit überall da in ausgedehnten Ablagerungen vorkommen, wo Meerwasser verdunstet ist.

Gips

Ausgebildete Steinsalzkristalle findet man nicht so oft wie Steinsalz in seiner massiven Form.

Halit

Die rötliche Färbung wird durch Unreinheiten im Salz hervorgerufen.

GRAND CANYON (USA)
Diese spektakuläre Landschaft entstand durch Fließwassererosion in rotem Sand- und Kalkstein.

SANDSTEIN
Obwohl beide Gesteine aus miteinander verkitteten Sandkörnern bestehen, ist ihr Gefüge unterschiedlich. Der rote Sandstein entstand in einer Wüste, wo der Wind die Quarzkörner rundete und polierte. Die Körner im Grobsandstein sind eckiger, weil sie schnell zugeschüttet wurden, bevor sie durch Aneinanderreiben gerundet werden konnten.

Grobsandstein

Roter Sandstein

TON
Ton besteht aus sehr feinen Körnern, die man mit bloßem Auge nicht erkennen kann. Er fühlt sich in nassem Zustand klebrig an und kann grau, schwarz, weiß oder gelblich gefärbt sein. Wird das darin enthaltene Wasser herausgepresst, bildet sich durch Kompaktion Tonschiefer.

GESCHICHTETE VULKANISCHE ASCHE
In vielen Sedimentgesteinen lassen sich die einzelnen Sedimentlagen als sichtbare Bänder unterscheiden; hier sind es Lagen vulkanischer Asche. Die Oberfläche wurde poliert, um dieses Merkmal hervorzuheben.

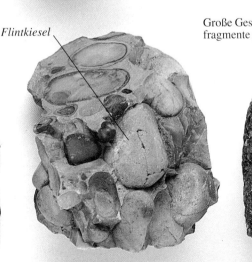

Flintkiesel

KONGLOMERATE
Die Flintkiesel in diesem Gestein wurden vom Wasser rund geschliffen, indem sie am Grund eines Flusses oder Meeres umhergerollt wurden. Nachdem anderes Material sich darüber abgelagert hatte, verfestigten sie sich zu einem Konglomerat.

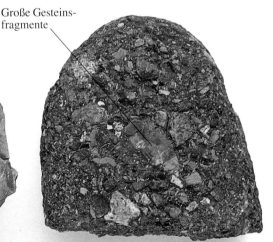

Große Gesteinsfragmente

BREKZIEN
Wie die Konglomerate enthalten die Brekzien Gesteinsbrocken. Diese sind aber unregelmäßig und kantig, da sie nicht durch Wasser gerundet oder von ihrem Ursprungsort, oft die Geröllhalde am Fuß einer Klippe, wegtransportiert worden sind.

Kalkstein-höhlen

Eindrucksvolle Höhlen mit tropfenden Stalaktiten und riesigen Stalagmiten sind wohl die bekanntesten Naturwunder, die Kalkstein hervorbringt. Die Höhlen entstehen durch die allmähliche Lösung des Kalziumkarbonats (Kalzit oder Kalk) aus dem Sedimentgestein durch das leicht saure Regenwasser. Einige andere charakteristische Erscheinungen wie Karrenfelder und Karstlandschaften haben die gleiche Ursache.

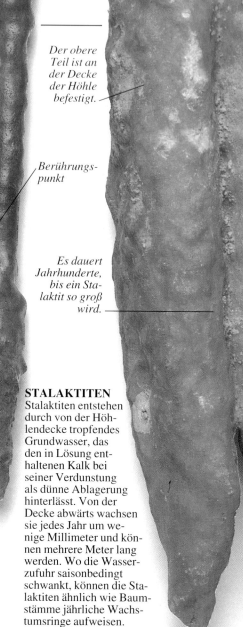

Der obere Teil ist an der Decke der Höhle befestigt.

Berührungspunkt

Es dauert Jahrhunderte, bis ein Stalaktit so groß wird.

STALAKTITEN
Stalaktiten entstehen durch von der Höhlendecke tropfendes Grundwasser, das den in Lösung enthaltenen Kalk bei seiner Verdunstung als dünne Ablagerung hinterlässt. Von der Decke abwärts wachsen sie jedes Jahr um wenige Millimeter und können mehrere Meter lang werden. Wo die Wasserzufuhr saisonbedingt schwankt, können die Stalaktiten ähnlich wie Baumstämme jährliche Wachstumsringe aufweisen.

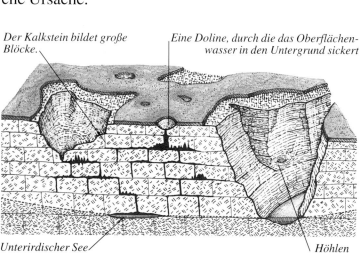

Der Kalkstein bildet große Blöcke.

Eine Doline, durch die das Oberflächenwasser in den Untergrund sickert

Unterirdischer See

Höhlen

Ein einzelner, aus zwei kleineren zusammengewachsener Stalaktit

KALKSTEIN-LANDSCHAFT *oben*
Das Regenwasser löst Kalzit aus dem Kalkstein, sodass tiefe Spalten entstehen. Mit der Zeit erweitert sie das Sickerwasser mehr und mehr. An der Oberfläche entstehen durch Lösungsprozesse schüssel- und trichterförmige Vertiefungen (Dolinen), durch die das Wasser schnell versickert, wobei die Oberfläche trocken bleibt. Das Sickerwasser bildet unter der Erde Wasserläufe, die durch Höhlen fließen, und Seen. Ein Teil des Kalzits lagert sich in Form von Stalaktiten und Stalagmiten in den Höhlen wieder ab.

DER *PLAN DES SALES* IN FRANKREICH
Karrenfelder bestehen aus großen, von Rinnen („Karren") durchzogenen Kalkplatten. Sie treten dort auf, wo die Verwitterung keine nichtlöslichen, Boden bildenden Rückstände hinterlässt.

DIE *EASE GILL CAVES* IN ENGLAND
Die feinen Stalaktiten und Stalagmiten in dieser Tropfsteinhöhle bilden den schönsten Teil eines viel größeren, komplexen Höhlensystems unter den Hügeln des Penninischen Gebirges. Die *Ease Gill Caves* sind das ausgedehnteste Höhlensystem Großbritanniens.

KALKTUFF
Kalktuff wird in Gebieten mit geringen Regenfällen an Gesteinsoberflächen aus dem Wasser gefällt. Auch künstlich hergestellte Gegenstände können von Tuff überzogen werden.

Korallenähnliche Struktur

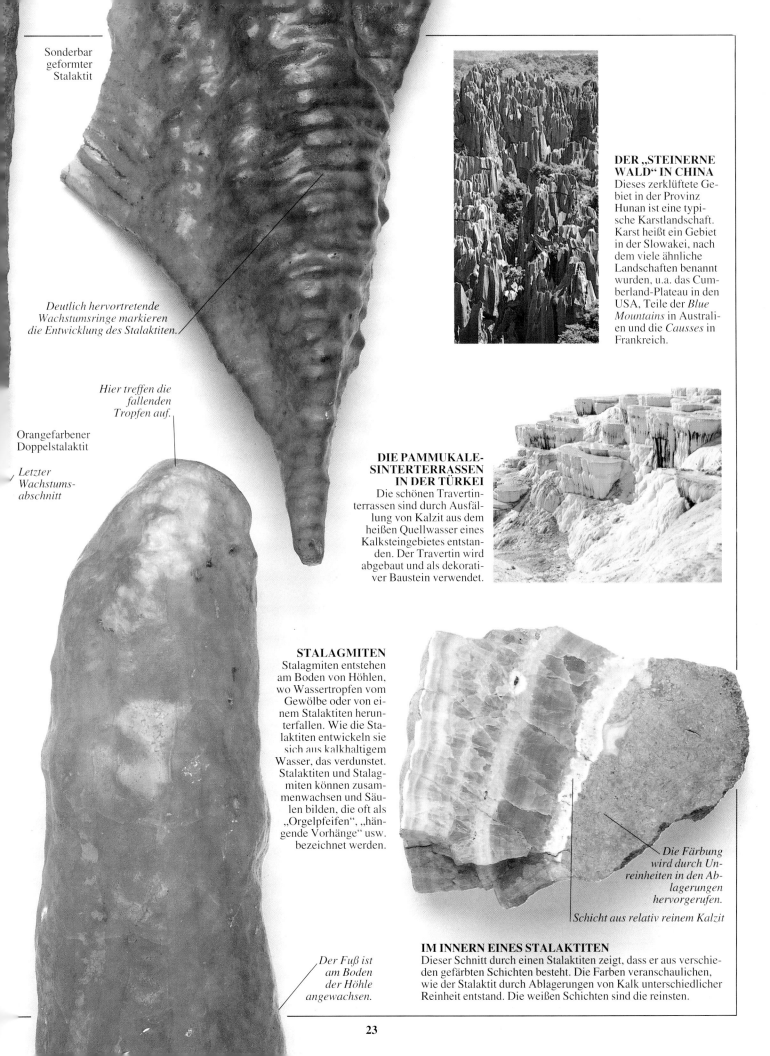

Sonderbar
geformter
Stalaktit

*Deutlich hervortretende
Wachstumsringe markieren
die Entwicklung des Stalaktiten.*

*Hier treffen die
fallenden
Tropfen auf.*

Orangefarbener
Doppelstalaktit

*Letzter
Wachstums-
abschnitt*

DER „STEINERNE WALD" IN CHINA
Dieses zerklüftete Ge-
biet in der Provinz
Hunan ist eine typi-
sche Karstlandschaft.
Karst heißt ein Gebiet
in der Slowakei, nach
dem viele ähnliche
Landschaften benannt
wurden, u.a. das Cum-
berland-Plateau in den
USA, Teile der *Blue
Mountains* in Australi-
en und die *Causses* in
Frankreich.

DIE PAMMUKALE-SINTERTERRASSEN IN DER TÜRKEI
Die schönen Travertin-
terrassen sind durch Ausfäl-
lung von Kalzit aus dem
heißen Quellwasser eines
Kalksteingebietes entstanden. Der Travertin wird
abgebaut und als dekorati-
ver Baustein verwendet.

STALAGMITEN
Stalagmiten entstehen
am Boden von Höhlen,
wo Wassertropfen vom
Gewölbe oder von ei-
nem Stalaktiten herun-
terfallen. Wie die Sta-
laktiten entwickeln sie
sich aus kalkhaltigem
Wasser, das verdunstet.
Stalaktiten und Stalag-
miten können zusam-
menwachsen und Säu-
len bilden, die oft als
„Orgelpfeifen", „hän-
gende Vorhänge" usw.
bezeichnet werden.

*Die Färbung
wird durch Un-
reinheiten in den Ab-
lagerungen
hervorgerufen.*

Schicht aus relativ reinem Kalzit

IM INNERN EINES STALAKTITEN
Dieser Schnitt durch einen Stalaktiten zeigt, dass er aus verschieden gefärbten Schichten besteht. Die Farben veranschaulichen,
wie der Stalaktit durch Ablagerungen von Kalk unterschiedlicher
Reinheit entstand. Die weißen Schichten sind die reinsten.

*Der Fuß ist
am Boden
der Höhle
angewachsen.*

Glimmerschiefer

Metamorphe Gesteine

Die Bezeichnung dieser Gesteine leitet sich von den griechischen Wörtern *meta* und *morphe* ab, was soviel wie „Änderung der Form", d.h. „Umwandlung" bedeutet. Es sind magmatische oder Sedimentgesteine, die durch Hitze und/oder Druck umgewandelt worden sind. Solche Bedingungen können bei Gebirgsbildungen auftreten. In die Tiefe versenkte Gesteine werden dabei hohen Temperaturen ausgesetzt und gequetscht oder gefaltet, was zur Umkristallisation im Gestein, d.h. zur Entstehung neuer Mineralien führt. Andere Metamorphite entstehen, wenn Gesteine in der Umgebung einer magmatischen Intrusion durch die Hitze „gebacken" werden.

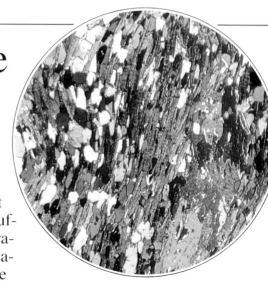

GRANIT- GLIMMERSCHIEFER IM DÜNNSCHLIFF
Im Polarisationsmikroskop sind in diesem Gestein aus Norwegen bunte, blättrige Glimmerschieferkri talle zu erkennen. Quarz und Feldspat erscheinen in unterschiedlichen Grauschattierungen, Granat dagegen schwarz.

Zuckerkörniger Marmor

Die regelmäßige Körnung verleiht dem Stück ein zuckerähnliches Aussehen

MARMOR
Wenn Kalkstein hohen Temperaturen ausgesetzt wird, entstehen neue Kalzitkristalle, die ein kompaktes Gestein bilden, den bekannten Marmor. Er wird manchmal mit dem ähnlich aussehenden Quarzit verwechselt. Marmor ist jedoch weicher und kann leicht mit einem Messer geritzt werden. Die Struktur mancher mittelgroben Marmors wird wegen seines Aussehens als „zuckerkörnig" bezeichnet. Dieses Stück stammt aus Korea. Die beiden rechts abgebildeten Marmorarten sind aus unreinem Kalkstein entstanden; sie enthalten Beimengungen wie zum Beispiel Pyroxen.

Grauer Knollenmarmor

Unreiner Marmor

Graphitkristalle

Fleckschiefer

Chiastolithschiefer

Längliche Chiastolithkristalle

Gefleckter Hornfels

VOM SCHIEFER ZUM HORNFELS
Die unregelmäßigen Fleckchen im Fleckschiefer sind kleine Kohlenstoff-aggregate, die durch die Hitzeeinwirkung einer magmatischen Intrusion e standen sind. In größerer Nähe zum Magma steigt die Temperatur beträch lich an, und es bilden sich im Schiefer nadelförmige Chiastolithkristalle. Gesteine werden in unmittelbarer Nähe zum Magma so heiß, dass sie völl umgewandelt werden. Es entsteht Hornfels.

Granat-Muskovit-Chloritschiefer

*Blaue, blatt-
förmige Disthene*

*Rote
Granate*

Schiefersteinbruch im 19. Jh.

Disthen-Staurolith-Schiefer

SCHIEFER
Bei Gebirgsbildungsprozessen wird Tonschiefer so stark beansprucht, dass die schuppigen Glimmerkristalle quer zur Druckrichtung rekristallisieren. Der so entstandene Schiefer lässt sich leicht in dünne Blätter spalten.

GLIMMERSCHIEFER
Die Glimmerschiefer sind eine bedeutende Gruppe metamorpher Gesteine. Diese mittelkörnigen Gesteine entstehen aus tonigen Gesteinen unter höheren Temperaturen als Schiefer. Der hier gezeigte Granat-Muskovit-Chloritschiefer muss mindestens auf 500 ˚C erhitzt worden sein, da Granat erst oberhalb dieser Temperatur kristallisiert. Disthen-Staurolith-Schiefer entsteht unter hohem Druck 10–15 Kilometer unter der Erdoberfläche.

*Helle Lagen
aus Quarz und
Feldspat*

*Dunkle Lagen
aus Biotit*

*Schwarze
Biotitkristalle*

*Blaue Disthen-
kristalle*

Gebänderter Gneis

*Kristalle
einer grünen
Pyroxenvarietät*

Biotit-Disthen-Gneis

*Rote
Granatkristalle*

EKLOGIT
Dieses Gestein entsteht unter extrem hohem Druck und ist außergewöhnlich schwer und hart. Man nimmt an, dass es sich im Mantel bildet, und zwar beträchtlich tiefer als die meisten anderen Gesteine. Eklogit besteht hauptsächlich aus Pyroxen und kleinen, roten Granatkristallen.

GNEIS
Bei hohen Temperaturen und großem Druck können sowohl aus magmatischen wie aus sedimentären Gesteinen durch Metamorphose Gneise entstehen. Grobkörniger als Schiefer, sind sie oft leicht daran zu erkennen, dass die verschiedenen Mineralien getrennte Lagen bilden. Diese können auch unregelmäßig (unter Druck) gefaltet sein.

MIGMATIT
Unter sehr großer Hitze können Teile des Gesteins anfangen zu schmelzen und bilden dabei wirbelförmige Muster. Dies ist oft in Migmatiten zu sehen, die nicht aus einem einzelnen Gestein bestehen, sondern aus der Mischung eines dunklen Primärgesteins mit einer helleren granitischen Masse. Dieses Handstück stammt aus dem schottischen Hochland.

Dunkles Primärgestein

*Rosafarbenes,
granitisches Gestein*

Marmor

Streng genommen ist Marmor ein metamorph umgewandelter Kalkstein. In der Stein verarbeitenden Industrie wird der Begriff „Marmor" aber auch für eine Vielzahl anderer Gesteine verwendet. Sie werden auf Grund ihrer unterschiedlichen Struktur, aber auch weil sie leicht zu schneiden und zu polieren sind, sehr geschätzt. Marmor wurde oft von Bildhauern benutzt, vor allem im antiken Griechenland. Bei den Römern spielte er als Baustein eine wichtige Rolle.

ROHMARMOR
Dieser unbearbeitete, grobkristalline M[...]jas-Marmor stammt aus Malaga in Spa[...]en. Betrachtet man einen solchen nicht geschliffenen und polierten Stein, ist es schwierig, sich vorzustellen, welche Muster darauf später zum Vorschein kommen.

DIE MADONNA VON MEDICI
Michelangelo schuf diese Statue um 1530 aus Carrara-Marmor.

DIE CARRARA-STEINBRÜCHE
Der berühmteste Marmor der Welt kommt aus den Carrara-Brüchen in der Toskana.

GRIECHISCHER MARMOR
Ursprünglich kam der gestreifte Cipollino-Marmor von der griechischen Insel Euböa, heute wird er in der Schweiz, auf Elba und in Vermont (USA) abgebaut. Er wurde zum Bau der berühmten Hagia Sophia verwendet.

EINE ITALIENISCHE SPEZIALITÄT
Dieser graue Bardiglio-Marmor kommt aus Carrara, einer Gegend, die für ihre Marmorsteinbrüche sehr berühmt ist.

ITALIENISCHE ELEGANZ
Ein auffälliger Marmor, ebenfalls aus Italien, ist diese schwarz-goldene Variante aus Ligurien.

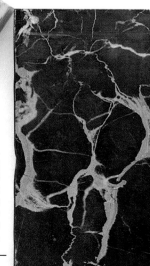

DER STOLZ DER TOSKANA
Wegen ihrer interessanten Struktur wurde die italienische Marmorsorte *Breccia Violetto* 1875 beim Bau der Pariser Oper verwendet.

DAS TADSCH MAHAL
Indiens bekanntestes Bauwerk ist aus verschiedenen Marmorsorten gebaut.

SÜDAFRIKANI-SCHE WIRBEL
Dieser polierte Traver-tin, eine Form von Kalktuff (S. 21 u. 23), hat schöne strudel-förmige Muster. Er kommt aus der Kap-provinz in Süd-afrika.

SCHÖNHEIT AUS DER SCHWEIZ
Diese als *Macchiavecchia* bekannte Kalksteinbrekzie wird in Mendrisio (Schweiz) abgebaut.

Detail einer Marmoreinlegearbeit vom Tadsch Mahal

„AFRIKANISCHER KUPFER"
Die lebhafte Färbung dieses grünen Marmors wird durch Kupfer hervorgerufen. Er kommt aus Swasiland.

MARMOR AUS ALGERIEN
„*Breche Sanguine*" oder „*Red African*" ist eine rote Brekzie (S. 21) aus Algerien. Die Römer haben diese Marmorsorte für das Pantheon in Rom verwendet.

Werkzeug aus Stein

Feuerstein hat einen muscheligen Bruch, bildet scharfe Kanten und ist relativ weit verbreitet. Aus diesen Gründen wurde er von den Menschen der Steinzeit zur Herstellung scharfer Werkzeuge benutzt. Es begann mit groben Faustkeilen, aber nach und nach entwickelten sich daraus verfeinerte Waffen und Werkzeuge wie Schaber und Messer.

Rohe Feuerstein-
knolle aus
Kreidege-
stein

*Ein Lederriemen verbindet Klinge
und Fassung mit dem Griff.*

Feuerstein-
abschläge

WERKZEUGE AUS FEUERSTEIN
Feuersteinwerkzeuge wurden durch Abschlagen von Splittern aus einer Knolle herausgearbeitet. Der verbleibende Kern wurde schrittweise exakter und feiner geformt.

Scharfkantiges Werk
zeug zum Enthäuten
und Schneiden

STEIN AUF STEIN
Der Feuerstein wurde mit einem zweiten Stein, einem Hammerstein, behauen. Die abgeschlagenen Splitter hinterließen scharfe, schartige Kanten.

ABSCHUPPUNG DURCH DRUCK
Scharfe Schnittkanten und feinere Klingen ließen sich durch Druck mit einem spitzen Gegenstand z.B. aus Horn, herstellen.

Solche Schaber wurd
im Neolithikum zur
Herstellung von Klei
dung aus Tierfellen
verwendet.

Schneide

Großer, scharfkantiger Faustkeil

Hell-
farbiger
Faustkeil

Kleiner,
angeschärfter
Faustkeil

Steinzeitm
schen bei
Arbeit
Faustke

Früher,
primitiver
Schaber

*Grobe
Schnittkante*

FAUSTKEILE
Faustkeile wurden während der Altsteinzeit zum Zerschlagen von Knochen, zum Enthäuten erlegter Tiere, zum Bearbeiten von Holz und zum Schneiden benutzt. Diese beiden gut geformten dunklen Faustkeile sind 70.000 bis 300.000 Jahre alt. Der hellere Faustkeil stammt aus der Zeit zwischen 70.000 und 35.000 v.Chr.

Scharfe Schnittkante

rbeil aus der
ittelsteinzeit

*Fassung aus
Geweihknochen*

Gestielte Querbeile wurden
zum Aushöhlen von Baum-
stämmen verwendet; solche
Einbäume waren
die ersten
Boote.

GESTIELTE QUERBEILE
Querbeile sind an ihrer asymmetrischen Schneide zu erkennen,
die nicht parallel, sondern quer zum Griff befestigt ist. Diese
Stücke stammen aus der Mittelsteinzeit (10.000 bis 4.000 v.Chr.)

Direkt in den Griff
eingepasstes Querbeil

*Asymmetrische Schneide
aus Feuerstein*

SICHEL
Feuersteinsicheln lassen auf den Anbau von Getreide
schließen. Die lange, leicht gekrümmte Klinge diente
zum Mähen bei der Ernte. Manche Sichelschneiden
haben durch häufigen Gebrauch eine Art Glanz angenommen. Diese in einen nachgebildeten Holzgriff
eingepasste Sichel stammt aus der Jungsteinzeit
(4000 bis 2300 v.Chr.).

Mexikanische Obsidianaxt
aus dem 9. Jh.n.Chr.

*Der Holzgriff
ist eine
Nachbildung.*

*Holzgriff
(moderne,
Nachbildung)*

Speerspitze mit Obsidian-
klinge von den Admiralitäts-
inseln vor Papua-Neuguinea

OBSIDIAN
Aus Obsidian, der wie Feuerstein scharfe
Bruchkanten bildet, wurden ebenfalls schon
früh Werkzeuge hergestellt. Man kennt auch
primitive Spiegel aus Obsidian.

AXT UND DOLCH AUS DÄNEMARK
Die Form dieser in
der Themse in Eng-
land gefundenen
Axt aus der frühen
Bronzezeit lässt er-
kennen, dass sie von
außerhalb einge-
führt wurde. Diese
Tatsache und die
sorgfältige Polie-
rung der Schneide
deuten darauf hin,
dass es sich um ein
wertvolles Objekt
handelte. Das gilt
auch für den früh-
bronzezeitlichen
Feuersteindolch
(2300 bis 1200
v.Chr.)

Axt

Feuerstein-
dolch

PFEILSPITZEN
Pfeil und Bogen waren schon in der Mittelsteinzeit erfunden worden; sie wurden
auch in der Jungsteinzeit benutzt. Man
verwendete blattförmige Pfeilspitzen.
Für die folgende Glockenbecher-Kultur
(2750 bis 1800 v.Chr.) sind Pfeilspitzen
mit Widerhaken charakteristisch. Es war
eine Zeit des Wandels, in der die Metall-
verarbeitung begann.

Blattförmige
Pfeilspitzen
aus der Jung-
steinzeit

Pfeilspitzen der Glockenbecher-Kultur

FEUERSTEINDOLCHE
Diese beiden Dolche wurden ebenfalls
von Glockenbecher-Leuten angefertigt. Ihre Seltenheit und die Sorgfalt
ihrer Bearbeitung lassen vermuten,
dass sie eher Statussym-
bole als Gebrauchswaf-
fen waren.

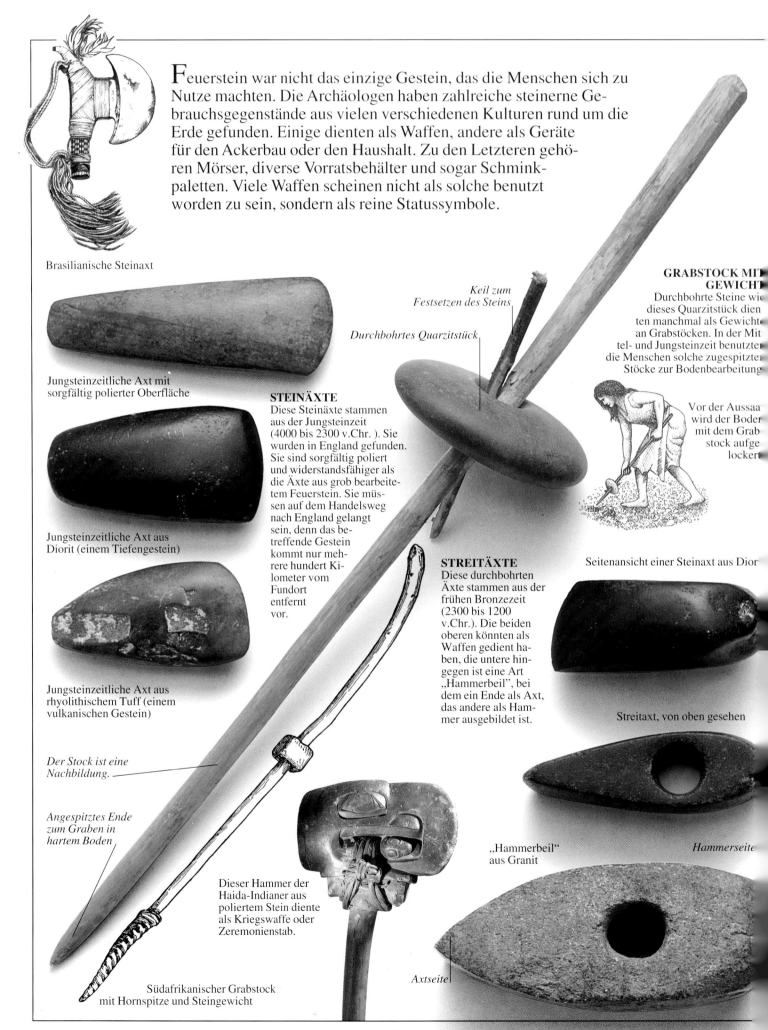

Feuerstein war nicht das einzige Gestein, das die Menschen sich zu Nutze machten. Die Archäologen haben zahlreiche steinerne Gebrauchsgegenstände aus vielen verschiedenen Kulturen rund um die Erde gefunden. Einige dienten als Waffen, andere als Geräte für den Ackerbau oder den Haushalt. Zu den Letzteren gehören Mörser, diverse Vorratsbehälter und sogar Schminkpaletten. Viele Waffen scheinen nicht als solche benutzt worden zu sein, sondern als reine Statussymbole.

Brasilianische Steinaxt

Jungsteinzeitliche Axt mit sorgfältig polierter Oberfläche

Jungsteinzeitliche Axt aus Diorit (einem Tiefengestein)

Jungsteinzeitliche Axt aus rhyolithischem Tuff (einem vulkanischen Gestein)

Der Stock ist eine Nachbildung.

Angespitztes Ende zum Graben in hartem Boden

Südafrikanischer Grabstock mit Hornspitze und Steingewicht

Keil zum Festsetzen des Steins

Durchbohrtes Quarzitstück

STEINÄXTE
Diese Steinäxte stammen aus der Jungsteinzeit (4000 bis 2300 v.Chr.). Sie wurden in England gefunden. Sie sind sorgfältig poliert und widerstandsfähiger als die Äxte aus grob bearbeitetem Feuerstein. Sie müssen auf dem Handelsweg nach England gelangt sein, denn das betreffende Gestein kommt nur mehrere hundert Kilometer vom Fundort entfernt vor.

STREITÄXTE
Diese durchbohrten Äxte stammen aus der frühen Bronzezeit (2300 bis 1200 v.Chr.). Die beiden oberen könnten als Waffen gedient haben, die untere hingegen ist eine Art „Hammerbeil", bei dem ein Ende als Axt, das andere als Hammer ausgebildet ist.

Dieser Hammer der Haida-Indianer aus poliertem Stein diente als Kriegswaffe oder Zeremonienstab.

GRABSTOCK MIT GEWICHT
Durchbohrte Steine wie dieses Quarzitstück dienten manchmal als Gewicht an Grabstöcken. In der Mittel- und Jungsteinzeit benutzten die Menschen solche zugespitzten Stöcke zur Bodenbearbeitung.

Vor der Aussaat wird der Boden mit dem Grabstock aufgelockert

Seitenansicht einer Steinaxt aus Diorit

Streitaxt, von oben gesehen

„Hammerbeil" aus Granit

Hammerseite

Axtseite

WETZSTEINE
Gerätschaften aus Bronze wurden geschärft, indem die Schneide an länglichen Steinen gewetzt wurde. Oft hatten solche Wetzsteine ein Loch und wurden mit einem Band am Hals oder am Gürtel getragen. Diese stammen aus der Bronzezeit (2300 bis 700 v.Chr.).

Dieser Speckstein mit Ritzzeichnung wurde von den Schmieden der Wikinger zur Herstellung von Waffen und Werkzeugen aus Metall benutzt.

Mörser der Haida-Indianer in Vogelform

SCHMINK-PALETTE AUS MARMOR
Zu den römischen Kosmetika gehörten Kreide und pulverisiertes Blei zum Aufhellen des Gesichts und der Arme, roter Ocker für Lippen und Wangen und Ruß zum Nachziehen der Augenbrauen. Mit Hilfe von feinen, löffelähnlichen Spateln wurden kleine Mengen der Schminke auf Steinplatten mit Wasser und eventuell noch mit Harz versetzt.

SPINNWIRTEL AUS STEIN
Die Römer benutzten Steine auch als sogenannte „Spinnwirtel". Ein Ende der zu spinnenden Woll- oder Baumwollfasern wurde oben an der Spindel befestigt, die aus Holz oder Knochen gefertigt und mit dem Wirtel beschwert war. Durch Gewicht und Drehschwung der am Faden hängenden Spindel wurde dieser gezwirnt und um die Spindel gewickelt.

Handgriff

Drehbarer Mahlstein

RÖMISCHE HANDMÜHLE
Während der Römerzeit fanden solche tragbaren Handmühlen im Haushalt Verwendung. Sie bestanden aus zwei Steinen, von denen der untere in den Boden eingelassen oder auf einer Bank befestigt war, während der auf einer Achse oder einem Zapfen montierte Mahlstein mit der Hand gedreht wurde. Das Getreide wurde in das Loch des Mahlsteins geschüttet und durch die Drehbewegung zwischen die Reibeflächen gedrückt.

Vermahlen des Korns mit einer Handmühle aus Stein während der Eisenzeit

mahliges reide

Konglomeratischer Unterstein

Farbstoff aus Stein

Als die Menschen begannen ihren Körper und ihre Wohnstätten zu bemalen brauchten sie nicht lange nach Farbstoffen zu suchen. Sie stellten eine Vielzahl von Malfarben her, indem sie Gesteine ihrer Umgebung zermahlten und das Pulver mit tierischen Fetten vermischten. Im Lauf der Jahrhunderte wurden auf expandierenden Handelswegen neue Farben eingeführt. Heute werden die Töne, für die man giftige Pigmente benutzen müsste, synthetisch hergestellt.

Brauner Ton

Pulverisierter brauner To[n]

FARBTÖNE AUS ERDE

Die Maler der Frühzeit mac[h]ten ausgiebig Gebrauch v[on] Tonerden. Diese waren w[eit] verbreitet und auf Grund ih[res] feinen Korns leicht zu pulv[e]risieren. Sie ergeben Grü[n] und Brauntö[ne]

Grüner Ton

Pulverisierter grüner Ton

Ocker

Umbra

FARBSCHATTIERUNGEN EINES MINERALS
Viele Mineralien haben eine spezifische Farbe, die eine nützliche Bestimmungshilfe darstellt. Einige Mineralien aber besitzen eine Vielfalt an Farbvarianten. Turmalin (S. 55) beispielsweise kommt in Form schwarzer, brauner, rosafarbener, grüner und blauer Kristalle vor.

WEISSE FARBNUANCEN
Der erste weiße Farbstoff war Kreide (S. 20). Mancherorts benutzte man statt- dessen Kaolin (Porzellan- erde).

Pulverisierte Kreide

HÖHLENMALERE[I]
Die ältesten uns bekannten Kunstwer[-]ke sind Höhlenbilder. Als Farbstof[fe] dienten Ton, Kreide und andere Erde[n] sowie verkohltes Hol[z]

FARBSCHLÜSSEL
Eine nützliche Hilfe zur Mineralbestim- mung ist die Strichfar- be, die sich zeigt, wenn ein Mineral fein zerrieben wird. Am einfachsten ist dies zu erreichen, indem die Probe sanft über eine unglasierte, weiße Porzellanplatte gezo- gen wird. Viele Mine- ralien haben eine be- stimmte Strichfarbe, die der Farbe des Mi- nerals entsprechen kann, aber nicht muss. Andere hinterlassen keinen sichtbaren Strich.

Kreide- weiß

Bison aus der *Grotte de Niaux*, Frankreich, um 20.000 v.Chr.

Auripigment

Zinnober

Krokoit

Kupferkies

Hämatit

Molybdänit

SCHWARZ WIE KOHLE
Holzkohle, die heute immer noch bei Malern beliebt ist, war den Höhlenmalern schon ver- traut. Das verglühte Holz ihrer Lagerfeuer sorgte für reichlich Nachschub.

Pulverisierte Holzko[hle]

Lampenruß-Schwarz

Pulverisierter Hämatit

Pulverisierter Realgar

Arsen-orange

...RBE FÜR ...E HAUT
...erdige Abart des Hämatits
...tel) ergibt einen satten rotbrau-
...n Farbton. Sehr fein gepulverter
...matit diente auch als Make-up oder
...feines Poliermittel (bei Juwelieren
...„Blutstein" bekannt).

Rote Farbe

ÄGYPTISCH ORANGE
Die Ägypter waren
die Ersten, die um 1500
v.Chr. Realgar, eine Arsenverbindung in Ablagerungen
heißer Quellen, pulverisierten,
um Farbstoff herzustellen. Die
Maler des Mittelalters
verwendeten stattdessen
Zinnober.

Pulverisierter Malachit

Pulverisiertes Auripigment

Malachit-grün

Auripigmentgelb (Rauschgelb)

FALSCHES GOLD
Auripigment, eine
Arsenverbindung,
wurde von den Malern
des Mittelalters zur Ge-
winnung vieler Farben be-
nutzt. Sie verwendeten es auch
um Gold zu imitieren. Seine Ähnlichkeit mit Gold hielt die Alchimisten
zum Narren, die immer wieder versuchten
das edle Metall daraus zu extrahieren.

...UCHTENDES GRÜN
...achit ist eine Kupfer-
...bindung, die ein kräftiges,
...htendes Grün ergibt. Es
...de zum ersten Mal während der
...nzeit in Ägypten verwendet.

Pulverisierter Lapislazuli

Ultramarin-farbe

KOST-BARES BLAU
Die Verfeinerung
von Lapislazulipulver
(S. 52) zu einem satten
Ultramarin gelang zuerst
in Persien.

Pulverisierter Azurit

Pulverisierter Zinnober

...ASSISCHES ...AU
...rit war ein
...utender
...er Farbstoff im
...ischen Altertum.
...er Brocken ist aus-
...rochen erdig und er-
...ein feines, ehemals
...geschätztes Pigment.

Azurit-blau

NATÜRLICHES ZINNOBERROT
Das leuchtende
Rot von Zinno-
ber (Queck-
silbersul-
fid) fand
schon im
vorge-
schichtlichen
China Verwen-
dung, war aber erst
im Mittelalter häufi-
ger in Gebrauch.

Zinnoberrot

LEUCHTENDE FARBEN
Gegen Ende des 13. Jh.s.
waren Ultramarin
und Zinnoberrot all-
gemein bekannt.
Auch in diesem
Gemälde von
Duccio wurden
sie verwendet.

Bausteine

Die meisten der eindrucksvollen historischen Monumente, die Tempel und Paläste, haben die Zeiten nur deshalb überdauert, weil sie aus widerstandsfähigen Natursteinen gebaut sind. Heute werden Naturbausteine wie etwa Marmor nur noch zur Verkleidung der Gebäude benutzt, während man den Rohbau aus Fabriksteinen erstellt, die leichter zerfallen und verwittern.

Noch im frühen 19. Jh. wurde die Arbeit in den Steinbrüchen fast ausschließlich von Hand geleistet.

NUMMULITENKALK

Dieser Kalkstein, der mit zu den berühmtesten gehört, wird aus Steinbrüchen in der Nähe von Kairo (Ägypten) gewonnen. Er enthält viele kleine Fossilien und ist ungefähr 40 Mio. Jahre alt. Aus ihm wurden auch die Pyramiden gebaut.

Die Pyramiden in Ägypten, aus dortigem Kalkstein errichtet

Fossilien

Waliser Schiefer

Oberflächen-bearbeitung

PORTLAND-KALK

Die Oberflächenstruktur dieses englischen Kalksteins wurde durch eine besondere Bearbeitungstechnik erzielt, die im letzten Jahrhundert sehr beliebt war. Portland-Kalk wurde nach dem großen Brand von London 1666 beim Wiederaufbau der St.-Pauls-Kathedrale verwendet.

OOLITHKALK

Dieser Kalkstein, der etwa 160 Mio. Jahre ist, wird als Baustein und manchmal zur Herstellung von Zement verwendet.

CHRISTLICHES MOSAIK

Aus kleineren Stücken örtlicher Gesteinsvorkommen wurden häufig sehr kunstvolle Mosaikböden gelegt.

160 Mio. Jahre alter Kalkstein, der zum Dachdecken verwendet wurde

SCHIEFER

Im Gegensatz zu den meisten anderen Baumaterialien müssen Dachsteine leicht in dünne Schichten, Platten, spaltbar sein. Schiefer (S. 25) ist dafür ideal. Wo er nicht vorkam, mussten die Baumeister eben mit schlechterem heimischem Gestein vorlieb nehmen.

NOTRE DAME
Die berühmte Pariser Kathedrale wurde zwischen 1163 und 1250 mit dem Kalkstein des Pariser Stadtteils St. Jacques gebaut. Die Pariser Katakomben sind nämlich bemerkenswerterweise ehemalige Steinbrüche.

SANDSTEIN
Er kommt in verschiedenen Farben vor und ist ein hervorragender Baustein. Die französische Stadt Carcassonne ist größtenteils aus Sandstein gebaut.

Verschiedene
Dachziegel

Stein-ersatz
Der Mensch ist heute in der Lage, Bausteinersatz wie Backstein und Ziegel, Zement, Beton und Glas herzustellen. Alle diese Materialien haben ihren Ursprung in natürlichen Gesteinen.

230 Mio. Jahre alter Sandstein

ANIT
nit wird sowohl zur Verblen-g als auch, in poliertem Zu-d, zur Herstellung von Grab-nen benutzt. Große Teile kt Petersburgs (Russland) den aus importiertem finni-m Granit errichtet.

DACHZIEGEL
In vielen Gegenden der Welt werden Dachziegel aus Ton geformt und gebrannt.

Rauer, sandfarbener Backstein

DAS EMPIRE STATE BUILDING
Zu seiner Errichtung wurden Granit und Sandstein, aber auch Backsteine und Zement verwendet.

Glatter, roter Backstein

Roter Sandstein aus Schottland, der als Verblendstein verwendet wird

DIE CHINESISCHE MAUER
Als Bollwerk angelegt, ist sie mit 2400 km Länge das größte Einzelbauwerk der Erde. Das Material, aus dem sie besteht, ändert sich von Landstrich zu Landstrich. Backstein (Ton) wurde ebenso eingesetzt wie Granit oder anderes Gestein der jeweiligen Gegend.

BACKSTEINE
Tone, die leicht formbar sind, werden zu Backsteinen gebrannt. Aus der unterschiedlichen Zusammensetzung der Tone ergeben sich Backsteine verschiedener Farbe und Festigkeit.

ZEMENT
Zement wird durch Zermahlen und Erhitzen eines Kalksteins hergestellt. Gemischt mit Sand, Kies und Wasser wird aus ihm Beton, das heute wohl gebräuchlichste Baumaterial.

Wie Kohle entsteht

Die Kohle, die wir heute verbrennen, ist Millionen Jahre alt. Ihre Entstehung begann in den sumpfigen Wäldern, die sich damals über große Teile Europas, Asiens und Nordamerikas erstreckten. Blätter, Samen und abgestorbene Zweige und Stämme, die auf den feuchten Waldboden fielen, zersetzten sich zu einer weichen Masse, die später überlagert wurde. Das Gewicht der darüber liegenden Sedimente presste allmählich das Wasser heraus und verdichtete das Pflanzenmaterial zu einer festen Masse, aus der zunächst Torf und letztendlich Kohle wurde. Je nachdem, wie groß Druck und Hitze waren, ergaben sich unterschiedliche Kohlesorten.

Pflanzenwurzeln

VERSTEINERTES HOLZ
Gagat ist ein hartes, tiefschwarzes Material, das aus abgesunkenen Treibholzstücken entstanden ist, sich gut bearbeiten lässt und seit der Bronzezeit gern für Schmucksachen verwendet wird.

KOHLESCHMUCK

Yorkshire in Nordengland hat große Gagatvorkommen. Diese römischen Anhänger wurden bei York gefunden. Sie sind mit großer Wahrscheinlichkeit aus lokalem Material gefertigt.

ÖLSCHIEFER

Seinen Namen verdankt dieses Sedimentgestein der Tatsache, dass aus ihm Öl gewonnen wird. Es enthält Bitumen, das pflanzlichen und tierischen Ursprungs ist. Durch Erhitzen wird es verflüchtigt und anschließend zu Öl kondensiert.

Blatt

Halme

Samenkapseln

DIE GEBURTSSTÄTTEN DER KOHLE
Die Sümpfe im Karbon-Zeitalter dürften ähnlich wie auf diesem Stich ausgesehen haben.

DAS AUSGANGSMATERIAL DER KOHLE
Damit Kohle entstehen konnte, mussten sich in Gebieten mit geringer Entwässerung Sümpfe und Moore und dicke Lagen aus Pflanzenresten bilden. Das tote Pflanzenmaterial sog sich mit Wasser voll und begann zu verrotten, ohne sich vollständig zersetzen zu können.

DIE TORFSCHICHT
Torf ist eine etwas kompaktere Form des verrottenden Pflanzenmaterials, Wurzeln und Samenkapseln sind z.T. noch zu erkennen. In einigen Gegenden wird Torf gestochen, getrocknet und als Brennmaterial verwendet.

TORFSTECHEN
Noch heute wird nach althergebrachten Verfahren Torf abgebaut wie hier in Irland.

BRAUNKOHLE
Wenn Torf weiter zusammengepresst wird, entsteht die mehr oder weniger bröckelige Braunkohle. Sie enthält noch erkennbare Pflanzenteile. Während Torf ungetrocknet zu 90% aus Wasser besteht, enthält Braunkohle nur noch etwa 50% Wasser.

KOHLEFLÖZE
Kohleschichten werden Flöze genannt. Sie liegen zwischen anderen Sedimentlagen wie Sandstein oder Schieferton, die aus Flussablagerungen entstanden sind. Hier handelt es sich um Braunkohleflöze in einem französischen Steinbruch.

„SCHWARZES GOLD"
Durch weitere Druckeinwirkung wird Braunkohle zu Steinkohle. Sie ist hart und spröde und hat einen sehr hohen Kohlenstoffgehalt. Durch einen pulverartigen Anteil, der an Holzkohle erinnert, ist sie leicht schmutzend. Sie kann abwechselnd glänzende und matte Streifen und vereinzelte Pflanzenabdrücke aufweisen.

UNTERTAGE-ARBEIT
Die Arbeit im Kohlebergwerk war unglaublich schwer und gesundheitsschädlich. Auch Kinder wurden dabei eingesetzt, wie dieser Stich aus dem Jahre 1842 verdeutlicht.

KOHLEFÖRDERUNG
Seit dem Mittelalter wird Kohle abgebaut. Wo dies an der Erdoberfläche geschieht, spricht man vom Tagebau. Die meisten Kohlevorkommen liegen jedoch mehrere hundert Meter unter der Erdoberfläche oder dem Meeresgrund. Heute werden im Untertagebau größtenteils Maschinen eingesetzt.

DIE HÄRTESTE KOHLE
Anthrazit ist die hochwertigste Kohle. Er ist glänzend und sehr hart, wirkt nicht verschmutzend, enthält mehr Kohlenstoff als alle übrigen Kohlesorten, erzeugt somit viel Hitze und entwickelt kaum Rauch.

Fossilien

Fossilien sind versteinerte Überreste ehemals lebender Organismen. Sie entstehen, wenn Tiere oder Pflanzen ins Sediment gelangen. Im Allgemeinen zersetzen sich die Weichteile recht bald, die Hartteile bleiben aber erhalten. Deshalb bestehen die meisten Fossilien aus den Knochen und Schalen von Tieren oder aus den Blättern und holzigen Teilen von Pflanzen. Bei manchen marinen Fossilien hat sich die ursprüngliche Substanz der Schale aufgelöst und ist durch ein anderes Mineral ersetzt worden, oder es ist nur ein Abdruck der Innen- oder Außenseite erhalten geblieben. Fossilien kommen ausschließlich in Sedimentgesteinen vor, insbesondere in kalkigen und tonigen Gesteinen. Viele Fossilien stammen von längst ausgestorbenen Lebewesen, etwa den Dinosauriern, und liefern damit einzigartige Belege für deren Existenz. Fossilien ermöglichen dem Fachmann auch die Altersbestimmung von Gesteinen. Versteinerungen, die nur Spuren von Lebewesen vermitteln, heißen „Spurfossilien".

Toniges Gestein

Blattabdruck

Buchenblatt

BLATTABDRUCK
Dieses fossile Blatt hat starke Ähnlichkeit mit heutigen Buchenblatt. wohl es etwa 40 Mio. Jahre alt ist, sind an ihr viele der ursprünglichen Einzelheiten, z.B. die Blattspreite, auch heut noch zu erkennen.

Magnolienblatt aus Miozän

Neuropteris, ein Samenfarn, der uns im Eisenstein überliefert ist.

PFLANZENFOSSILIEN
Viele farnartige Fossilien kommen in Kohle führenden Gesteinen des Karbons vor (S. 36). Obwohl es sich nicht um dieselben Arten handelt, sind sie den heutigen Farnen doch verblüffend ähnlich.

Farn aus dem Karbon

Heutiger Farn

Versteinerter Blattw del eines Farns, d *Asterotheca* he

Schnitt durch eine Nautilus-schale

NAUTILUS
Wie bei den Ammoniten ist die Schale auch beim Nautilus in Kammern unterteilt. Durch Regulierung des Gasvolumens in diesen Kammern kann sich das Tier im Wasser vertikal bewegen. Es schwimmt mit dem Kopf nach unten auf dem Rücken.

URALTE VORFAHREN
Dieser Kalkstein ist etwa 200 Mio. Jahre alt. In ihm liegen die Überreste unzähliger Ammoniten. Diese Meereslebewesen mit hartem, spiralenförmigem Gehäuse sind ausgestorben. Auf Grund der schnellen Abfolge der Arten und der großen Verbreitung in vielen Meeren sind die Ammoniten zur relativen Altersbestimmung der Gesteine, in denen sie vorkommen, sehr gut geeignet. Ein heute noch vorkommender Verwandter der Ammoniten ist der Nautilus, der im Pazifischen Ozean lebt.

Ammoniten

SCHNECKENFRIEDHOF
Dieses Stück Kalkstein enthält die harten, spiralförmigen Schalen mariner Gastropoden (Meeresschnecken). Ihr Alter: etwa 120 Mio. Jahre. Z.T. sind die weißen Schalen abgelöst und wir sehen einen Abdruck der Innenseite.

Abdruck des Schaleninneren (Steinkern)

Gastropoden-schale

FOSSILIENJAGD
Das häufige Vorkommen von Fossilien am Strand führte im 19. Jh. dazu, dass Fossiliensammeln zu einem beliebten Zeitvertreib wurde.

Heutige Gartenschnecken

Gestein aus dem All

Jedes Jahr fallen etwa 19.000 Meteoriten von mehr als 100 Gramm Gewicht auf die Erde. Fast alle landen im Meer oder in den Wüsten; nur etwa fünf werden gefunden. Meteoriten sind Materie-Stücke aus dem All, die den Fall zur Erdoberfläche überstanden haben. Beim Eintritt in die Erdatmosphäre schmilzt nämlich ihre Oberfläche auf Grund der Reibungshitze und wird abgestreift. Der Kern bleibt kalt. Wenn der Meteorit stark genug abgebremst worden ist, erstarrt die Oberfläche wieder zu einer dünnen, schwärzlichen Schmelzrinde.

DIE FEUERKUGEL VON PASAMONTE

Diese von einem Landarbeiter in New Mexico (USA) um fünf Uhr morgens fotografierte Feuerkugel traf die Erde im März 1933. Meteoriten werden nach dem Ort benannt, an dem sie niedergegangen sind – in diesem Fall Pasamonte. Die Feuerkugel hatte eine flache Flugbahn von etwa 800 km. Sie brach in der Atmosphäre in dutzende kleiner Meteoritensteine auseinander.

METALLISCHER METEORIT

Der Cañon-Diablo-Meteorit kollidierte vor etwa 20.000 Jahren mit der Erde. Im Gegensatz zum Barwell-Meteoriten ist er ein Eisenmeteorit. Diese sind seltener und bestehen aus einer Legierung von Eisen und Nickel. Sie waren früher Teile eines kleinen Asteroiden (S. 41), die auseinandergebrochen sind. Der größte bekannte Meteorit ist mit ca. 60 t Gewicht der Hoba-Eisenmeteorit aus Namibia. Dieser Meteorit aus dem Cañon Diablo wurde durchgesägt, poliert und z.T. mit Säure angeätzt, um seine Struktur zu zeigen.

EXPLOSIONSKRATER

Als der Cañon-Diablo-Meteorit im heutigen Arizona (USA) einschlug, barst eine Meteoritenmasse von etwa 15.000 t auseinander. Sie hinterließ ein enormes Loch, den „Meteor-Krater", von etwa 1,2 km Durchmesser und fast 180 m Tiefe. Vom Meteoriten selbst blieben nur geringe Bruchstücke am Kraterrand zurück mit einem Gesamtgewicht von etwa 30 t.

Bruchstück eines Meteoriten

Bei der Durchquerung der Atmosphäre entstandene glasige Kruste

Graue innere Masse, hauptsächlich aus den Mineralien Olivin und Pyroxen bestehend

ZEITGENOSSE DER ERDE

Der Barwell-Meteorit schlug Heiligabend 1965 bei Barwell in Leicestershire (England) ein. Er ist 4,6 Mrd. Jahre alt und entstand zur gleichen Zeit wie die Erde, aber in einem anderen Teil des Sonnensystems. Von zehn Meteoriten sind acht Steinmeteoriten wie der von Barwell, die anderen Metallmeteoriten.

METALL UND STEIN *unten*

Die Oberfläche dieses abgesägten Stücks des Thiel-Mountain-Meteoriten ist poliert worden, um das in hellem Metall eingeschlossene steinige Material, das aus dem Mineral Olivin besteht, zu zeigen. Der Meteorit wurde in der Antarktis gefunden, wo er, im Eis eingeschlossen, seit 300.000 Jahren lag.

Metall

Olivinhaltiger steiniger Anteil

DER HALLEY'SCHE KOMET
Er ist hier auf dem Bayeux-Wandteppich abgebildet. Von Kometen seiner Art stammen möglicherweise die wasserhaltigen Meteoriten.

AUFBAU DER ASTEROIDEN
Viele Meteoriten stammen von Asteroiden, die so etwas wie Miniplaneten sind. Sie sind nie Teil eines Planeten gewesen, sondern kreisen in einem Gürtel zwischen Mars und Jupiter um die Sonne. Ihr Inneres setzt sich aus mehreren Bereichen mit unterschiedlichen Substanzen zusammen. Der Kernbereich aus Metall ist die Quelle mancher Eisenmeteoriten wie dem von Cañon Diablo. Der Kernmantelbereich ergibt gemischte Meteoriten wie den von den Thiel Mountains und die Kruste liefert Steinmeteoriten wie den Barwell-Meteoriten.

Kruste
Mantel
Kern-
mantel
Kern

WASSER-TRÄGER
Der Murchison-Meteorit, der 1969 in Australien einschlug, enthält Kohlenstoffverbindungen und Wasser aus dem All. Man nimmt an, dass der Kern eines Kometen aus diesem Material besteht. Die Kohlenstoffverbindungen sind auf Grund rein chemischer Reaktionen und nicht durch Lebewesen entstanden. Solche Meteoriten sind sehr selten (nur 3% aller Einschläge).

Gesteine von Mond und Mars

Fünf in der Antarktis gefundene Meteoriten stammen wahrscheinlich vom Mond, da sie lunaren Hochlandgesteinen gleichen, die bei den Apollo-Missionen gesammelt wurden. Für acht weitere Meteoriten wird der Planet Mars als Ursprungsort angenommen.

HERKUNFT MARS
Der Nakhla-Steinmeteorit fiel 1911 in Ägypten. Er entstand vor 1,3 Mrd. Jahren, viel später als die meisten Meteoriten, und kommt mit großer Wahrscheinlichkeit vom Mars.

MONDENTDECKUNGEN
Die lunaren Meteoriten bestehen aus dem gleichen Material wie die Felsbrocke des Mondhochlandes, auf die Apollo-17-Astronaut Harrison H. Schmitt zugeht.

MONDGESTEIN
Die Mondoberfläche ist mit einer Schicht feiner Gesteins- und Mineralfragmente bedeckt – als Folge der andauernden Bombardierung des Mondes mit Meteoriten. Aus ähnlichem Material stammen viele Steinmeteoriten. Hier im Bild das helle Mineral Feldspat und das dunkle Pyroxen.

41

Gesteinsbildende Mineralien

**ZUSAMMEN-
SETZUNG DER
ERDKRUSTE**
Elemente, nach Prozen
anteilen am Gewicht
geordnet: Sauerstoff
(1), Silizium (2), Alu-
minium (3), Eisen (4),
Kalzium (5), Natrium
(6), Kalium (7), Mag-
nesium (8) und alle
übrigen Elemente (9).

Acht Elemente bilden fast 99% der Erdkruste. Sie ver-
binden sich zu natürlich vorkommenden Mineralien.
Silikate wie Kieselsäure sind in den meisten Gesteinen
enthalten. Den Hauptteil der Erdkruste bestreiten die magmatischen Gesteine. Spezifische gesteinsbildende Mineralgruppen sind für gewisse
magmatische Gesteinstypen charakteristisch.

Polarisations-
mikroskop

Granitische Gesteine

Sie setzen sich zusammen aus Feldspaten, Quarz, Glimmer und
Amphibolen. Die Feldspate sind die am stärksten vertretenen Mineralien überhaupt und kommen in fast allen Gesteinstypen vor.

KIESELSÄURE
Kieselsäure tritt u.a. in Form von Quarz, Chalzedon
(S. 52) und Opal (S. 51) auf. Quarz gehört zu den am
häufigsten vorkommenden Mineralien. Er befindet
sich in den magmatischen, sedimentären und
metamorphen Gesteinen und ist z.B. typisch
für Granit, Quarzit und Gneis.

KALIFELDSPAT
Orthoklas ist in vielen magmatischen un
metamorphen Gesteine
vorhanden, währen
Mikroklin (die Nied
rigtemperaturforr
von Orthoklas) i
Granitpegmatite
gefunden wir

*Aggregat
schwarzer,
prismatischer
Kristalle mit
Kalzit*

Einzelner
Hornblen-
dekristall

Quarz (Bergkristall)

Blaugrüner
Mikroklinkristall
(Amazonit)

Rosa Orthoklas
Zwillingskrista

Hornblende,
ein in magmatischen
und metamorphen Ge-
steinen wie Hornblende-
schiefer vorkommender
Amphibol

Tremolit, ein in meta-
morphen Gestei-
nen vorkom-
mender
Amphi-
bol

DÜNNSCHLIFF EINES GRANIT-
GESTEINS
Eine polierte Diorit-Lamelle von ca. 0,03 mm
Dicke offenbart unter dem Polarisationsmikro-
skop farbige Amphibole, gleichmäßig graue bis
farblose Quarzkristalle und gestreifte, graue
Plagioklaskristalle eines Feldspats.

*Silbrige radial-
strahlende, nadel-
förmige Kristalle*

DIE AMPHIBOLGRUPPE
Diese Mineralien sind in den magmatischen und metamorphen Gesteinen weit verbreitet. Sie können
leicht von Pyroxen (S. 43) durch
den charakteristischen Winkel der
Spaltflächen (S. 48) unterschieden
werden.

Muskovit, ein
aluminiumreicher
Glimmer, ist in
Glimmerschiefern
und Gneisen stark
vertreten.

*Silbrig-bräunliche,
tafelförmige Kristalle*

Biotit ist ein du
ler, eisenreicher Glimr
der v. a. in magmatisc
Gesteinen vorkommt, aber auc
Glimmerschiefern und Gne
verbreite

GLIMMER
Es gibt zwei große Glimmergruppen: die dunk
eisen- und magnesiumreichen und die hellen a
miniumreichen Glimmer. Alle sind sehr gut
spaltbar (S. 48).

Basische Gesteine

Die hier abgebildeten sieben Mineralien sind oft in basischen Gesteinen wie Basalt und Gabbro vertreten.

Rosa Anorthit (ein Plagioklas) mit Augit

Albit-Zwillingskristalle – auch ein Plagioklas – mit Kalzit

PLAGIOKLAS *oben*
Diese Feldspatgruppe ist eine Mischreihe mit variablem Verhältnis zwischen Natrium und Kalzium. Plagioklas ein häufiger Bestandteil der magmatischen Gesteine.

FELDSPATOIDE
Wie der Name schon sagt, sind diese Mineralien mit den Feldspaten verwandt. Sie enthalten weniger Kieselsäure und sind daher typisch für kieselsäurearme Lavagesteine.

Nephelin (eine Feldspatart) mit Kalzit

OLIVIN
Dieses Eisen-Magnesium-Silikat ist typisch für kieselsäurearme Gesteine wie Basalt, Gabbro und Peridotit. Es bildet meist kleine Kristalle oder körnige Aggregate. Klare Kristalle werden als Edelsteine geschliffen (Peridot, S. 54).

Grüne Olivinkristalle

Olivinhaltige vulkanische Bombe vom Vesuv (S.18)

Einzelner Augitkristall

DÜNNSCHLIFF EINES BASISCHEN GESTEINS
In diesem Olivinbasalt sind im polarisierten Licht bunte Olivin-, bräunlichgelbe Pyroxen- und fein gestreifte graue Plagioklaskristalle zu sehen.

Leucit – ein Feldspat – auf vulkanischem Gestein

Prismatischer Enstatitkristall mit Biotit

Grünlichschwarze, prismatische Augitkristalle (ein Pyroxen)

PYROXEN
Die meisten Pyroxene sind Kalzium-, Magnesium- und Eisensilikate. Der weit verbreitete Augit ist in solchen magmatischen Gesteinen wie Gabbro und Basalt vertreten. Seltener ist der Enstatit, der in Gabbro, Pyroxenit und manchmal in Peridotit vorkommt.

Sonstige Gesteinsbildungen

Zwei weitere bedeutende Gruppen gesteinsbildender Mineralien sind die Karbonate und die Tonmineralien.

KARBONATE
Sie sind wichtige Bestandteile in manchen Sedimentgesteinen (Kalksteine) und metamorphen Gesteinen (Marmor) wie in Erzen. Das am häufigsten anzutreffende Karbonat ist Kalzit, der Hauptbestandteil der Kalksteine.

Montmorillonit

Illit

Kaolinit (Porzellanerde), entstanden aus der partiellen Verwandlung von Orthoklas

TONMINERALIEN
Die Tone, die einen großen Teil der sedimentären Gesteinsabfolgen einnehmen, entstehen durch Verwitterung von Aluminiumsilikaten. Zu den Tonmineralien gehören Kaolinit, Montmorillonit und Illit.

Dolomit, ein Karbonat, das sedimentäre Ablagerungen bildet

Kristalle

Zu allen Zeiten waren die Menschen von der natürlichen Schönheit der Kristalle fasziniert. Jahrhundertelang glaubte man, Bergkristall würde aus Eis bestehen, das zu fest gefroren sei um je wieder auftauen zu können. Das Wort Kristall ist abgeleitet vom griechischen Wort kyros, das „eiskalt" bedeutet. Man versteht heute darunter Festkörper mit regelmäßigem geometrischem Aufbau, dem eine entsprechende Anordnung der Atome und Moleküle dieser Körper zu Grunde liegt. Bei einem bestimmten Mineral ist die Anordnung der potentiellen Flächen festgelegt, aber Größe und Gestalt des Kristalls sind veränderlich. Viele Kristalle haben eine enorme wirtschaftliche Bedeutung, einige werden sogar als Edelsteine geschliffen (S. 50).

Kristallsuche in den
Alpen, um 1870

Lichtreflex an der Kristalloberfläche

Kristalle mit verschiedener Wachstumsrichtung

Während des Kristallwachstums entstandene Streifen

Großer Kristallzwilling

Zwillingsebene

Gut entwickelte Flächen

„EISGEBILDE"

Schöne Stufen natürlicher Kristalle, auch diese Bergkristallstufe, sehen a als wären sie von Hand geschnitten u poliert. Dieses in der Isère in Frankre gefundene Exemplar enthält zwei be ders gut entwickelte Zwillings-Krist (S. 45) sowie viele Einzelkristalle. D Querstreifung einiger Kristallfläche typisch für Quarz. Sie entsteht dadur dass zwei verschiedene Flächen abw selnd beginnen sich zu entwickeln.

Kristallsymmetrie

Man teilt die Kristalle entsprechend ihrer Symmetrieelemente in sieben Systeme ein, die unten an Beispielen veranschaulicht werden. Es gibt verschiedene physikalische Methoden die Kristallsymmetrie zu ermitteln. Die Symmetrieklasse der Fundstücke lässt sich in der Praxis oft nur schwer bestimmen, da die Kristalle meist als Aggregate vorkommen und die Flächen nicht voll ausgebildet sind.

WISSENSCHAFTLICHE MESSUNG

Die Konstanz des Winkels zwischen den Kristallflächen eines bestimmten Minerals ist ein nützliches Merkmal für seine Bestimmung. Zur präzisen Messung werden Kontaktgoniometer eingesetzt.

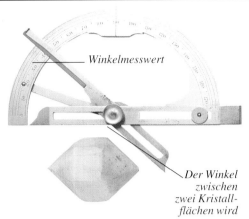

Winkelmesswert

Der Winkel zwischen zwei Kristallflächen wird gemessen.

TRIKLIN

Wie dieser keilförmige Axinitkristall aus Brasilien ahnen lässt, weist das trikline System, zu dem auch Plagioklas (S. 43) zählt, die geringste Symmetrie auf.

KUBISCH

Der metallische Pyrit (S. 59) bildet würfelförmige Kristalle. Das kubische System, zu dem auch Granat (S. 55) gehört, bringt aber auch andere Formen wie Tetraeder und Oktaeder hervor. Es weist die höchste Symmetrie auf.

TETRAGONAL

Dieser dunkelgrüne Vesuviankristall aus Sibirien wird mit Zirkon (S. 54) und Wulfenit (S. 9) dem tetragonalen System zugeordnet.

RHOMBISCH

Zu den Mineralien des rhombischen Systems gehören Baryt (aus dem Barium für medizinische Zwecke gewonnen wird), Olivin (S. 42) und Topas (S. 54).

TRIGONAL

Auf diesem Sideritkristall sind kleine Sekundärkristalle gewachsen. Quarz (S. 44), Korund (S. 51), Turmalin (S. 55) und Kalzit (S. 22 u. 48) gehören wie Siderit zum trigonalen System.

MONOKLIN

Das am häufigsten anzutreffende monokline System umfasst u.a. den hier abgebildeten Gips (S. 21), Azurit (S. 33) und Orthoklas (S. 49).

HEXAGONAL

Beryll (S. 50), zu dem diese grüne kolumbianische Smaragdvarietät gehört, kristallisiert wie Apatit (S. 49) und auch Eis im hexagonalen System. Nichtsdestoweniger weisen die Schneeflocken unzählige einzigartige Formen auf.

Schneeflocken

Zwillinge

Kristalle können sich in Hohlräumen von Mineralgängen besonders gut entwickelt. Zum Teil wachsen sie so, dass zwei (oder auch mehr) Einzelkristalle sich spiegelbildlich überschneiden. Solche Gebilde werden Zwillinge (oder allgemeinert: Mehrlinge) genannt.

BERÜHRUNGSZWILLINGE

Cerussit kristallisiert im rhombischen System. Diese Gruppe von Zwillingen wurde in Namibia gefunden.

DURCHWACHSUNGSZWILLINGE

Staurolith ist ebenfalls ein Mineral des rhombischen Systems. Bei diesem kreuzförmigen Zwillingspaar aus Brasilien scheinen sich die Kristalle zu durchdringen.

Gipszwillingskristalle weisen oft eine typische Pfeilform auf, der sie den Namen „Schwalbenschwanz-Zwillinge" verdanken.

Der Habitus

Kristalle sind sich nie genau gleich, weil auch die Bedingungen, unter denen sie wachsen, nie die gleichen sind. Kristalle brauchen Platz, um zu wachsen, und wo dieser fehlt, treten Verzerrungen und anomale Eigenschaften auf. Kristalle können mikroskopisch klein oder fast metergroß sein. Größe und Form eines Kristalls oder Kristallaggregats bilden seinen „Habitus".

Korallenähnliches Aussehen

WEISSE „KORALLE"
Der nach der spanischen Provinz Aragon benannte Aragonit kann einen korallenähnlichen Habitus aufweisen, der auch bei anderen Ausfällungsmineralien vorkommt.

Feine Kristallnadeln

RADIALSTRAHLENDE NADEL
Der Habitus dünner, länglicher Kristalle wird mit „stängelig" oder sogar „nadelig" beschrieben. Bei diesem Skolezitexemplar sind die grauen nadeligen Kristalle radialstrahlig angeordnet.

METALLISCHE „TRAUBEN"
Kupferkieskristalle (S. 59) wachsen manchmal von einem zentralen Punkt aus und bilden Knollenaggregate. Dieser Habitus wird mit „traubig" bezeichnet.

GLÄNZENDES AGGREGAT *unten rechts*
Der Habitus des Hämatits (S. 33) kann sehr verschieden sein, hier ist er „körnig". Der metallische Lichteffekt an den Kristalloberflächen dieses Aggregats wird als „Metallglanz" bezeichnet.

KRISTALLSÄULEN
„Prismatische" Kristalle sind in einer Richtung viel länger als in den beiden anderen. Dieser Beryllkristall (S. 50) hat sechs rechteckige Prismenflächen und zwei sechseckige Endflächen.

WEICHE FASERN *links*
Tremolit kann fadenartige, extrem biegsame Kristalle bilden. Dieser „faserige" Habitus ist auch kennzeichnend für alle anderen Asbestmineralien.

GESCHICHTETE BLÄTTER
Einige Mineralien, zu denen Glimmer (S. 42) gehört, lassen sich in dünne Folien spalten. (S. 48). Dieser Habitus wird als „blättrig" bezeichnet. Mineralien, die Plättchen bilden, sind „tafelig".

Isometrische Granatkristalle

Glimmerschiefer

GLEICH GROSSE SEITE
Die Kristalle vieler Mineralien können in allen Richtungen annähernd gleich groß sein, wie diese in Glimmerschiefer eingebetteten „isometrischen" Granatkristalle (S. 5...).

FORMENKOMBINATION

Pyrit (S. 59) kann in Form einfacher Würfel, aber auch zwölfseitiger Körper (Pentagondodekaeder) kristallisieren. Bei schwankenden Wachstumsbedingungen entwickeln sich beide Formen gleichzeitig, wodurch eine Streifung (S. 44) auf den Kristallflächen erscheint.

Stark gestreifte Würfelflächen

Schräge Dodekaederflächen

Spitze der glänzenden rosa Kalzitkristalle

Basis der grauen Kalzitkristalle

PARALLELE STRUKTUREN

Eine Serie gleichartiger Kristalle kann eine übereinstimmende Wachstumsrichtung aufweisen. Dieses Kalzitaggregat enthält eine große Anzahl spitz zulaufender, blassrosa und grau gefärbter Kristalle mit fast perfekt parallelen Hauptachsen.

SALZSEE AUF ZYPERN

Wenn Salzseen austrocknen, bleiben Salze als Kruste zurück.

Abgestufte Würfelseiten

ABGESTUFTE KRISTALLE

Dieses Halitaggregat (S. 21) enthält zahlreiche Sandkörner. Das bevorzugte Wachstum in zwei der drei Hauptrichtungen ergab diesen treppenförmigen Stapel kubischer Kristalle.

TRICHTERFÖRMIGES WACHSTUM

Halit (Steinsalz, S. 21) bildet kubische Kristalle, die manchmal schneller entlang den Würfelkanten als in der Mitte der Flächen aus der Lösung wachsen. Es entstehen trichterförmige Kristalle mit abgestuften Vertiefungen auf jeder Seite.

DOPPELDECKER

Kupferkies (S. 59) und Zinkblende (S. 57) haben e ähnliche Kristallstruktur. Hier sind die bunt anlaufenen, messinggelben Kupferkieskristalle in der rientierung übereinstimmend mit den bräunlich warzen Zinkblendekristallen gewachsen.

Zinkblendekristalle

Kupferkieskristalle

Sandige Quader

Chloritbelag

ERÄSTELTES METALL

o der Platz fehlt, in engen Räumen zwischen ei Gesteinsbänken z.B., können gegenes Kupfer (S. 56) und andere neralien auch in dünnen Lagen krislisieren, die eine typische rästelung aufweisen.

Kupfer- „Äste"

GEISTERHAFTE UMRISSE

Die dunklen Flächen im Inneren dieses Quarzkristalls sind dünne Chloritlagen, die den Kristall in früheren Wachstumsstadien überzogen haben. Als der Kristall weiterwuchs, entstanden diese geisterhaften Umrisse des Chlorits.

Die Eigenschaften der Mineralien

Die meisten Mineralien haben eine regelmäßige Kristallstruktur und eine eindeutige chemische Zusammensetzung. Die physikalischen und chemischen Eigenschaften zusammen sind für jedes einzelne Mineral charakteristisch und können von großer wissenschaftlicher oder industrieller Bedeutung sein. Durch die Untersuchung von Eigenschaften wie Spaltbarkeit, Härte und spezifisches Gewicht können die Geologen Rückschlüsse auf die Entstehung der Mineralien ziehen. Sie sind außerdem in Zusammenhang mit Farbe und Habitus (S. 46) nützlich bei der Bestimmung der Stoffe.

Struktur

Chemisch identische Mineralien können in mehreren Kristallformen auftreten. Kohlenstoff z.B. bildet Diamant und Graphit, deren unterschiedliche Eigenschaften sich aus der unterschiedlichen Anordnung der Kohlenstoffatome im Kristall ergeben.

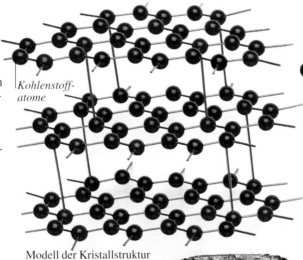

Kohlenstoffatome

Modell der Kristallstruktur von Graphit

Modell der Kristallstruktur eines Diamanten

Kohlenstoffat-

Hier ist zu sehen, wie ein Atom mit vier anderen verbunden ist.

Diamanten

GRAPHIT
Graphit ist ein Mineral, bei dem jedes Kohlenstoffatom an drei andere in derselben Ebene gebunden ist. Die Kristallstruktur setzt sich aus Atomlagen zusammen, die nur schwach miteinander verbunden sind. Graphit ist eines der weichsten Mineralien (Mohs-Härte 1–2). Durch die lose Bindung ist er in der Lage, auf Papier Striche zu hinterlassen, und wird daher gern zu Bleistiftminen verarbeitet.

Graphitstück

DIAMANT
Im Diamanten (S. 50), de unter hohem Druck im kubischen System kristal siert, ist jedes Kohlensto atom mit vier anderen fes verbunden. Die daraus e stehende stabile und kom pakte Struktur gibt dem manten seine extrem hol Härte (Mohs-Härte 10) u macht aus ihm ein bevor zugtes Material für indus elle Schneidewerkzeuge

Spaltbarkeit

Viele Kristalle haben die Tendenz, entlang fest definierter Spaltflächen zu brechen. Diese Eigenschaft ergibt sich aus der regelmäßigen Anordnung der Atome im Kristall.

Dünne Schichten

DÜNNE BLÄTTCHEN
Antimonit, ein wichtiges Antimonerz, weist eine „sehr vollkommene", blättrige Spaltbarkeit auf, die von der schwachen Bindung der Antimonketten mit den Schwefelatomen herrührt.

BLEIERNE STUFEN
Galenit ist das häufigste Bleierz (S. 75). Seine vollkommene Spaltbarkeit verläuft entsprechend der würfelförmigen Anordnung der Blei- und Schwefelatome, sodass die Bruchfläche kubische Stufen aufweist.

Stufen

SAUBERER BRUCH
Barytkristalle (S. 45) haben zwei Spaltungsrichtungen, die sich kreuzen. Die Spaltbarkeit von Baryt ist „vollkommen". Ein Bruch des Kristalls würde entlang der Spalt fläche verlaufen.

Die dünnen Linien stellen die Spaltflächen dar.

Kleiner, mit dem größeren zusammengewachsener Kristall

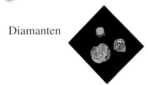

PERFEKTE RHOMBOEDER
Jedes Stück Kalzit hat eine derart vollkommene rhomboedische Spaltbarkeit, dass ein Bruch en anderer Flächen praktisch unmöglich ist.

BRUCH
Quarzkristalle brechen nicht entlang bestimmter Spaltflächen, sondern haben einen glasigen, muscheligen Bruch.

Gerundete, muschelige Bruchflächen

...te

...indungskraft zwischen den Atomen ist für die Härte der Mineralien entscheidend. ...Viener Mineraloge Friedrich Mohs entwarf 1812 eine Härteskala, nach der man sich ...noch richtet. Er wählte zehn Mineralien unterschiedlicher Härte aus und ordnete sie ...ss jedes Mineral nur diejenigen, die der Ordnungszahl nach unter ihm liegen, zu rit-...ermag. Auch alltägliche Gegenstände können zur Härtebestimmung an dieser Skala ...ssen werden. Ein Fingernagel hat eine Mohs-Härte von 2,5, eine Taschenmesser-...e von 5,5. Mineralien mit Mohs-Härte 6 können Glas ritzen, während Apatit (Mohs-...5) von Glas geritzt wird.

KURVE DER ABSOLUTEN HÄRTE
Die Stufen der Mohs-Skala sind unregelmäßig. Der Diamant ist vierzig-mal so hart wie Talk, während Korund nur neunmal so hart ist.

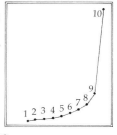

1	2	3	4	5	6	7	8	9	10
Talk	Gips	Kalzit	Fluorit	Apatit	Orthoklas	Quarz	Topas	Korund	Diamant

...gnetismus

...wei der häufig ...mmenden Mine-..., die Eisenver-...ngen Magnetit ...Magnetkies, sind ...magnetisch. Mag-...wurde früher in ...von „Magnetei-...einen" als Kom-...enutzt.

**...RLICHER
...NET**
...etit ist permanent ...etisch und zieht Ei-...ine, Büroklammern ...dere Objekte aus ...n.

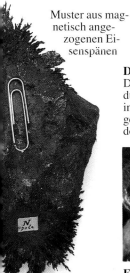

Muster aus magnetisch angezogenen Eisenspänen

Verhalten im Licht

Die Wechselwirkung des Lichts mit der atomaren Kristallstruktur der Mineralien bewirkt bezeichnende optische Merkmale.

DOPPELBRECHUNG
Das Licht wird beim Durchgang durch einen Kalzitkristallrhomboeder in zwei Strahlen geteilt, sodass der Stängel dieses Gänseblümchens für das Auge doppelt erscheint.

FLUORESZIERENDER AUTUNIT
Einige Mineralien wie etwa Autunit sind unter ultraviolettem Licht fluoreszierend.

Dichte

Die Dichte entspricht dem spezifischen Gewicht von Mineralien und dient zu ihrer genaueren Bestimmung. Sie wird in g/cm³ angegeben. Bei Eis liegt sie z.B. bei unter 1 und erreicht bei Metallen Werte über 20. Die Dichte ist abhängig von der chemischen Zusammensetzung und der Kristallstruktur des Minerals.

GRÖSSE UND GEWICHT
Die Art der Atome und ihre Anordnung in der Kristallstruktur sind für das spezifische Gewicht entscheidend. Diese drei Kristallstücke verschiedener Mineralien haben dasselbe Gewicht. Da aber die Atome im Galenit schwerer sind bzw. die Packung der Atome im Quarz dichter ist, sind beide Mineralien viel kleiner als der Glimmmer.

Glimmer

Quarz

Galenit

Edelsteine

Edelsteine sind natürlich vorkommende Mineralien von außergewöhnlicher Schönheit und Seltenheit. Die Spiegelung und Brechung des Lichts im Kristall sind es, die die faszinierende Schönheit der Steine bewirken – die leuchtenden Farben des Rubins und Smaragds, das Feuer der Diamanten. Meist enthüllt erst der sachkundige Schnitt und Schliff (S. 60) Farbe, Feuer und Glanz der Steine. Das Karat ist die Gewichtseinheit für die meisten Edelsteine. Es entspricht 0,2 Gramm. Man darf es allerdings nicht mit dem Karat verwechseln, das die Qualität von Gold kennzeichnet (S. 59).

Diamant

Der Begriff Diamant leitet sich vom griechischen Wort *adamas* ab, es bedeutet „der Unbezwingliche". Denn er ist das härteste aller bekannten Mineralien (S. 49). Berühmt ist er auch wegen seines stets brillanten Feuers. Die Qualität eines Diamanten wird anhand von Farbe, Reinheit, Schliff und Karatgewicht bewertet.

Die Kimberley-Mine in Südafrika

SCHÄTZE IM KIES
Vor 1870 wurden Diamanten nur in Form von g Kristallen oder Bruchstücken aus dem Flusskie wonnen. Im späten 19. Jh. w Südafrika zum Hauptli ranten für Diamanten

Diamantkristall

Kimberlit

DIAMANTEN IM GESTEIN
Kimberlit ist das Ursprungsgestein der meisten Diamanten. Die Bezeichnung geht auf Kimberley in Südafrika zurück, wo das Gestein in Vulkangängen vorkommt, die 200–300 km tief in die Erde reichen.

Beryll

Smaragd und Aquamarin gehören zu den bedeutendsten Edelsteinen. Sie werden seit Jahrtausenden abgebaut. Gut entwickelte, hexagonale Beryllkristalle kommen in Pegmatiten und Glimmerschiefer vor, wie man sie in Brasilien, Russland und anderen Ländern findet.

Geschliffener Smaragd

SMARAGDE
Die edelsten Smaragde stammen aus Kolumbien, wo sie in Kalzit- und Pyrit führenden Adern auftreten. Fehlerfreie Smaragde sind sehr selten, denn die meisten Kristalle haben kleine Flecken oder Mineraleinschlüsse. Oberflächlich betrachtet scheinen diese den Wert zu beeinträchtigen, doch sie können von Bedeutung für den Beweis der Echtheit sein.

RÖMISCHER BERYLL
Geschliffene Smaragde sind in diesen Ohrringen und Halsketten eingefasst.

FARBIGE DIAMANTEN
In seiner Farbe variiert der Diamant von Farblos zu Gelb, Braun, Rosa, Grün und Blau. Rote Diamanten sind sehr selten. Um sie vorteilhaft zu gestalten, haben die Diamantenschleifer die Steine mit Tafelschliff oder Rosenschliff versehen. Später wurde der Brillantschliff üblich, da durch ihn Feuer und Glanz am besten zur Geltung kommen.

DIE VERSCHIEDENEN FARBEN DES BERYLLS
Reiner Beryll ist farblos. Die Farben der Edelsteine hängen oft von Unreinheiten wie beispielsweise Mangan ab, welches das Rosa des Morganits hervorruft. Die grünblauen Aquamarinkristalle werden oft erhitzt, um die blaue Farbe zu intensivieren.

Gelber Heliodor

Grünlichgelber Heliodor

Aquamarin

„Rosenroter" Morganit

DER KOHINOOR-DIAMANT
Dieser berühmte indische Diamant wird hier von der englischen Königin Mary getragen.

Korund

Die Pracht und Intensität ihrer Farben macht die Schönheit von Rubin und Saphir aus. Beide sind Korundvarietäten. Reiner Korund ist farblos, aber schon kleinste Chrommengen reichen aus um das Rot des Rubins hervorzurufen. Eisen und Titan lassen das Blau, Gelb und Grün der Saphire entstehen.

DER STERNSAPHIR
Einige Steine enthalten nadelförmige Kristalle, die in drei um 120 ° gegeneinander verdrehten Richtungen orientiert sind. Durch entsprechendes Schleifen entstehen Sternrubine bzw. Sternsaphire.

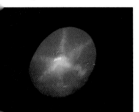

SAPHIRKRISTALL
Während Rubin flache Kristalle bildet, sind Saphire in der Regel pyramiden- oder tonnenförmig. Charakteristisch sind blaue bis gelbe Farbzonen, die wichtige Anhaltspunkte für den Schliff darstellen.

FLUSSJUWELEN
Die meisten Saphire und Rubine werden aus Flusskies gewonnen. Edelsteinmineralien sind normalerweise widerstandsfähiger gegen Verwitterung als ihre Muttergesteine und werden so in Flussbetten angesammelt.

EDELSTEINE IM SCHMUCK
Den ältesten Schmuck kennen wir von zeremoniellen Begräbnissen vor 20.000 Jahren. Diesen emaillierten Goldanhänger aus dem späten 16. Jh. schmücken Rubine, Smaragde und Diamanten.

RUBINKRISTALL
Der Edwards-Rubin ist ein Kristall von außergewöhnlicher Qualität. Er wiegt 162 Karat und kommt wahrscheinlich aus den berühmten Edelsteinvorkommen von Mogok (Myanmar, ehemals Burma).

Geschliffener Rubin

EDELSTEINVORKOMMEN
Die ergiebigsten Lagerstätten blauer und gelber Saphire liegen in Australien. Rubine werden v. a. in Myanmar, Thailand und Zentralafrika abgebaut. Die reichhaltigen Flusskiese Sri Lankas liefern bereits seit mindestens 2000 Jahren wunderschöne blaue und rosa Saphire.

Blauer Saphir

Rosa Saphir

Farbloser Saphir

Gelber Saphir

Klarer Saphir

Violetter Saphir

Opal

Der Name Opal rührt wahrscheinlich vom Sanskrit-Wort *upala* her, das „wertvoller Stein" bedeutet. Der Opal, den die Römer für ihren Schmuck verarbeiteten, stammte jedoch nicht aus Indien, sondern aus der Tschechoslowakei. Im 6. Jh. gelangte der Opal aus Zentralamerika nach Europa und erst nach 1870 übernahm Australien die führende Rolle auf dem Weltmarkt.

OPAL-GEWINUNG IN AUSTRALIEN
Abgesehen von seiner Verwendung als Edelstein wird Opal heute auch zur Herstellung von Schleifmitteln und Isoliermaterialien benutzt.

MUTTERGESTEINE DES OPALS
So wie dieses Exemplar aus Australien bildete sich Edelopal meistens innerhalb großer Zeiträume in Sedimentgesteinen. In Mexiko und der Tschechoslowakei hingegen entstand Opal in Gashohlräumen vulkanischer Gesteine. Er wird meist zu Cabochons (S. 60) geschliffen. Da die Adern in Sedimentgesteinen meist sehr dünn sind, werden auch Opalplättchen auf Onyx oder Glas zu Dubletten gekittet. Solche Steine lassen sich weiter zu Tripletten „verschönern", indem noch eine Kappe aus Quarz daraufgesetzt wird.

Opalisierender schwarzer Opal

FARBVARIANTEN DES OPALS
Das Schillern von Blau, Grün, Gelb und Rot (Opalisieren) des prächtigen Opals entsteht durch Reflexion und Lichtbrechung an der Oberfläche der winzigen Quarzkügelchen im Mineral. Diese Regenbogenfarben heben sich von der Hintergrundfarbe ab, die wasserhell beim Glasopal, weiß im Milchopal, grau oder, in seiner schönsten Variante, schwarz sein kann.

Milchiger Opal

Weißer Opal

FEUEROPAL
Die schönsten Feueropale kommen aus Mexiko und aus der Türkei. Sie werden fast immer zu facettierten Ringsteinen verschliffen. Feueropal wird sowohl wegen seiner Farbintensität als auch wegen seines Opalisierens geschätzt.

Schmucksteine

Türkis, Achat, Lapislazuli und Jade gehören zu den Edelsteinen, die aus einem Gemisch verschiedener Kristalle bestehen. Sie werden vor allem wegen ihrer Farbe geschätzt, ob nun gleichmäßig wie bei einem schönen Türkis oder gemustert wie in einer Achat-Kamee. Jade und Achat, die zäh sind, eignen sich für die feine Steinschneidekunst, während für den weicheren Türkis eine schützende Einfassung, wie sie in Anhängern und Einlegearbeiten gegeben ist, ratsam ist.

Chalzedon

Karneol, Onyx, Achat und Chrysopras sind sämtlich Vertreter der Chalzedonfamilie. Reiner Chalzedon ist trüb durchscheinend, grau oder weiß und besteht aus feinen Quarzfasern in dünnen Lagen. Einen sichtbar geschichteten Chalzedon, der durch Unreinheiten hervorgerufene Farben und Muster zeigt, nennt man Achat.

Chrysopras-Cabochon

FAVORIT FRÜHERER ZEITEN
Schon seit vorrömischer Zeit wird der apfelgrüne Chrysopras zu Schmuck verarbeitet, meist zu Kameen oder Intaglien in Ringen und Anhängern.

Türkisader

Türkis

Schon in frühestem Schmuck verwendet, ist Türkis so allgemein bekannt, dass sein Name ein geläufiger Ausdruck für ein blasses Grünblau wurde. Die farbgebenden Substanzen sind hauptsächlich Kupfer sowie Spuren von Eisen. Je mehr Eisen ein Stein enthält, desto grüner (und weniger wertvoll) ist er.

Lapislazuli

Hauptbestandteil des blauen Lapislazuli ist Lasurit, ein Mineral der Sodalithgruppe. In kleineren Mengen enthält er außerdem noch weißen Kalzit und messingfarbene Pyriteinschlüsse.

DIE REINSTEN VORKOMME
In Badakhschan (Afghanista wird der beste Lapislazuli a gebaut. Er tritt in For von Linsen und Ade in weißem Marm a

ANTIKER LAPIS-LAZULISCHMUCK
Seit Jahrhunderten werden aus Lapislazuli Perlen und Schnitzereien gefertigt. Bekannt ist er schon seit 6000 Jahren. Sein Name geht auf das persische Wort *lazhward* zurück, das „blau" bedeutet.

MESOPOTAMISCHES MOSAIK
Für die Gestaltung der hölzernen Tafeln, die wir als „Standarte von Ur" kennen, wurde auch Lapislazuli verwendet, um 2500 v.Chr.

VERSCHLIFFE-NER TÜRKIS
Der zarteste himmelblaue Türkis wird in Nischapur (Iran) bereits seit 3000 Jahren abgebaut. Ein weiteres antikes Ursprungsgebiet, das schon den Azteken bekannt war, ist der Südwesten der Vereinigten Staaten, aus dem heute der größte Teil der Weltproduktion kommt.

ÄGYPTISC **AMULE**
In den Gräbern Könige hat man che schöne Ge stände fr ägyptis Handwe k gefun

TÜRKISSCHMUCK
Dieses Artefakt könnte aus dem Iran stammen. Die doppelköpfige Schlange (ganz oben) ist eine aztekische Halskette, die Montezuma Cortez zum Geschenk machte.

TIEFES BLAU *links*
Das intensive Blau dieser Lapislazulischeibe wird durch kleine Schwefelbeimengungen hervorgerufen.

ACHAT

Die feinkörnigen, gebänderten Achate entstehen in Hohlräumen vulkanischer Gesteine. Die ergiebigsten Fundorte wertvoller Achate liegen in Brasilien und Uruguay.

POLIERTER ACHAT

Durch das Polieren werden die wunderbaren Muster des Achats sichtbar. Sie entstehen dadurch, dass aus heißen, kieselsäurehaltigen Lösungen, die durch die Hohlräume poröser Gesteine dringen, sich mikroskopisch kleine Kristalle in farbigen Ablagerungen niederschlagen.

Kristalle

Dunkle Lage

PORTRÄT

In römischen Zeiten waren Kameen aus Blutjaspis beliebt.

LANDSCHAFT IN STEIN

Durch den zarten Cabochonschliff kommen die Muster dieses Moosachats sehr schön zur Geltung.

DEKORATIVES MESSER

Karneol ist ein roter Chalzedon, der immer schon für dekorativen Schmuck und Einlegearbeiten benutzt wurde. Hier hat man ihn zu einem Messer verarbeitet.

Jade

Der Name leitet sich vom spanischen *piedra de hijada* ab, der zunächst den grünen Stein beschrieb, den Indianer in Zentralamerika für Schnitzereien verwendeten. Heute bezieht sich der Name eigentlich auf zwei verschiedene Substanzen: Jadeit und Nephrit.

DOLCH EINES MOGULS

Die Künstler im Dienste der Moguln bevorzugten bei der Anfertigung von Dolchgriffen, Schalen und Schmuck blassgrünen und grauen Nephrit, in den sie oft Rubine und andere Edelsteine einlegten.

SELTENE JADE

Jadeit kann weiß, orangefarben, braun und, seltener, fliederfarben sein. Am beliebtesten jedoch ist die milchig durchscheinende smaragdgrüne Varietät.

[...] MASKE [...] TANCHAMUNS

[...]ie goldene Maske wur[...] Lapislazuli, Karneol, [...]idian und Quarz sowie [...]chiedenfarbiges [...]s eingearbeitet.

CHINESISCHE KUNST

Die Chinesen, die die extreme Zähigkeit von Jade bereits seit mehr als 2000 Jahren kennen, wussten sich diese Eigenschaften für ihre feine Steinschneidekunst zu Nutze zu machen.

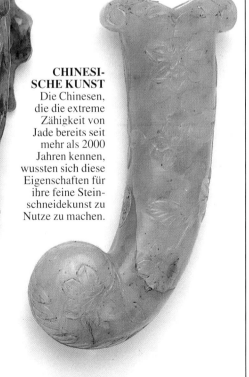

NEPHRITGERÖLL

Nephrit ist weiter verbreitet als Jadeit. Er hat gewöhnlich eine grüne, graue oder cremig weiße Farbe und kommt oft in Form wassergerundeter Steine vor. Dieses Nephritgeröll aus Neuseeland ist ein typisches Beispiel.

Weniger bekannte Edelsteine

Neben den wohlbekannten Edelsteinen Diamant, Rubin, Saphir, Smaragd und Opal werden noch eine ganze Reihe anderer Mineralien in Schmuck eingearbeitet. Durch attraktive Eigenschaften wie den feurigen Glanz bei Zirkonen und Demantoiden oder die schattige Farbigkeit bei der Turmalingruppe haben sie das Interesse auf sich gelenkt. Der Platz reicht hier nur zur Erwähnung der am häufigsten verwendeten Schmucksteine, deren Vielfalt beachtlich ist.

Mehrfarbiger Topas

Blauer Topas

Gelber Topas

TOPAS

Topaskristalle in Edelsteinqualität kommen hauptsächlich in Graniten und Pegmatiten vor. Sie können bei beachtlicher Größe bis zu mehreren hundert Kilogramm wiegen. Die größten Steine sind farblos oder zart blau, die beliebtesten aber, mit dem höchsten Karatpreis, sind die goldgelben und rosafarbigen, die beide in Brasilien gefunden werden. Pakistan ist die einzige weitere Quelle für rosa Topas, während gelber Topas etwas häufiger vorkommt und farbloser Topas weltweit zu finden ist.

Blauer Spinell

Rosa Spinell

Violetter Spinell

SPINELL

Roter Spinell ist dem Rubin sehr ähnlich, daher nannte man ihn auch „Balas-Rubin". Balascia – heute Badakhshan in Afganistan – ist vermutlich sein Ursprungsort. Schöne rote Spinelle kommen auch aus Myanmar und Sri Lanka, wo man auch rosafarbige, violette, blaue und blaugrüne Steine findet.

Geschliffener Spinell

„RUBIN DES SCHWARZEN PRINZEN"

Dieser berühmte Spinell ist der zentrale Stein der *British Imperial State Crown.*

TOPASBROSCHE

Brauner Topas wurde bei der Schmuckherstellung im 18. und 19. Jh. viel verwendet. Die in der Natur seltene rosa Farbe wurde auch künstlich durch Erhitzen brauner Steine erzielt.

PERIDOT

So wird durchsichtiger Olivin (S. 43) in Edelsteinqualität genannt. Olivin kommt häufig in basaltischer Lava und in einigen Gesteinen der tieferen Erdkruste vor. Das Eisen-Magnesium-Verhältnis bestimmt die Farbschattierung des Steines. Peridot hat eine geringere Härte als Quarz und einen charakteristischen „Fettglanz". Schon in der Antike bezog man ihn von der Insel Zeberget im Roten Meer. Seitdem wurden aber auch schöne Steine in Myanmar, Norwegen und Arizona (USA) gefunden.

Roter Zirkon

Rosa Zirkon

Grüner Zirkon

Gelber Zirkon

Blauer Zirkon

ZIRKON

Vielleicht nach dem arabischen Wort *zerkin* für Zinnoberrot oder dem persischen Wort *zargun* für „golden" benannt, ist Zirkon dieser Farben, aber auch in grünen und braunen Varietäten, in Indien seit Jahrhunderten zu Schmuck verarbeitet worden.

Geschliffene Peridote

GRANAT

Die Granatgruppe umfasst eine ganze Reihe von Mineralien, zu denen Almandin und Pyrop (rot und purpurrot), Spessartin (orangerot), Grossular (orangefarben, grün oder farblos) und Demantoid (grün) gehören. Schöne Demantoide haben eine Farbe, die es mit der des Smaragds aufnehmen kann, und ihr Glanz übertrifft den des Diamanten. Schönheit und Seltenheit dieser Steine spiegeln sich im hohen Preis wider. Cabochons aus Almandin und Pyrop sind seit über 2000 Jahren beliebt. Die besten Exemplare des Spessartins und des orangefarbenen Grossulars kommen aus Brasilien und Sri Lanka, die besten Demantoide aus dem Ural.

GRANATOHRRINGE

In Gold eingefasst ergeben Granatsteine mit Rosenschliff (S. 60) schöne Schmuckstücke wie an diesen Ohrringen aus dem 18. Jh. zu sehen ist.

Stein mit Rosenschliff

Gold

Grossularstufe

Almandin　　Hessonit　　Pyrop　　Demantoid

Demantoidkristalle

GRIECHISCHES DIADEM

Dieser Teil eines emaillierten Diadems aus dem 2. Jh.n.Chr. ist mit Granatsteinen besetzt. Die Gestaltung ist typisch für viele zeitgenössische griechische Artefakte.

TURMALIN

Der Turmalin bietet die größte Farbvielfalt aller Edelsteine. Einige Kristalle sind sogar in sich vielfarbig. Die beiden Enden des Steins weisen sowohl verschiedene Kristallformen als auch eine unterschiedliche elektrische Ladung auf, die durch Farbwechsel, meist von Grün zu Rosa, noch unterstrichen wird. Turmalinkristalle mit der besten Edelsteinqualität werden in Pegmatiten gefunden. Einige Minen in Kalifornien (USA) sind für ihre rosa und grünen Kristalle berühmt. Schöne Steine gibt es aber auch im Ural, in Brasilien und auf Madagaskar.

AMETHYST

Der violette Amethyst ist eine Varietät des Quarzes (S. 44), dessen reine Form farblos ist (Bergkristall). Erst durch Eisen-, Mangan- und Titanunreinheiten bekommen Amethyst, Zitrin (gelb) und Rosenquarz ihre Farben. Die schönsten Amethyste kommen aus Indien, Uruguay und Brasilien, wo sie in Gashohlräumen vulkanischer Gesteine als Geoden entstanden sind.

Amethyst-Halsband aus dem 19. Jh.

Geschliffener Amethyst

Gelbgrüner Turmalin

Grüner Turmalin

Blauer Turmalin

Rosa Turmalin

Brauner Turmalin

Violettgrauer Turmalin

Wassermelonen-Turmalin (Mitte rot, Enden grün)

Turmalin mit Farbübergängen

BYZANTINISCHE RELIQUIE, etwa 955 n.Chr.

Viele byzantinische Kunstgegenstände sind aus Gold und mit den schönsten Steinen verziert.

Erze und Metalle

Aus den Erzmineralien werden die meisten nützlichen Metalle gewonnen. Nach dem Abbau im Bergwerk, im Steinbruch oder im Tagebau werden sie durch Zerkleinerungs- und Trennungsprozesse konzentriert, bevor sie, raffiniert und geschmolzen, Metalle ergeben. Schon um 5000 v.Chr. wurde Kupfer zu Perlen und Nadeln verarbeitet, aber erst die Mesopotamier begannen im großen Rahmen mit dem Schmelzen und Gießen. Als dann etwa 3000 v.Chr. dem Kupfer Zinn zugefügt wurde, entstand Bronze, die wesentlich härter ist. Aber bald überwog die Eisenproduktion, die schon um 500 v.Chr. weit verbreitet war, denn Eisen ist noch härter als Bronze und Eisenerz ist fast überall vorhanden.

Rituelles Bronzegefäß für Nahrung (China, ca. 10.Jh.v.Chr.)

Bauxit, das wichtigste Aluminium-erz (S. 13)

LEICHTGEWICHTI-GES ALUMINIUM
Aluminium ist leicht, widerstandsfähig und hat eine gute elektrische Leitfähigkeit. Es wird in Hochspannungs-leitungen, Bauwerken und Waschmaschinen eingesetzt und zu Kochtöpfen verarbeitet.

Aluminiumfolie für den Haushalt

Gestapelte Aluminium-barren

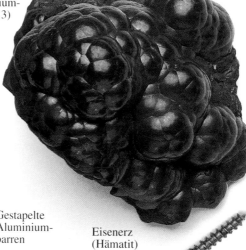

Eisenerz (Hämatit)

Eisenerzabbau um 158[...]

ZÄHES EISE[N]
Hämatit ist das wichtigste Eisenerz. Ei[ne] verbreitete Varietät ist der wegen sein[es] Aussehens so genannte „Rote Glaskopf[".] Eisen ist zäh und relativ hart, aber tro[tz]dem leicht zu verarbeiten: Es kann g[e]gossen, geschmiedet, gewalzt, gepres[st] und gestanzt werden. Eisen wird meist [zu] Stahl legiert, der in der Industrie und i[m] Haushalt vielfältige Verwendung finde[t.]

Stahlschraube

Titanhaltiger Rutil

HOCHFESTES TITAN
Rutil und Ilmenit sind die bedeutendsten Titanerze. Diese beiden in magmatischen und metamorphen Gesteinen vorkommenden Mineralien werden durch Verwitterung und Erosion mit anderen verwertbaren Mineralien in sandigen Ablagerungen konzentriert. Auf Grund seiner hohen Festigkeit bei gleichzeitig geringem Gewicht wird Titan in der Luftfahrtindustrie sowohl beim Bau der Triebwerke als auch der tragenden Elemente des Flugzeuges geschätzt.

Unter Verwendung von Titan gebautes Verkehrsflugzeug

FARBENPRÄCHTI-GES KUPFER
Weit verbreitete Kupfererze sind der messingartige Kupferkies und der blau anlaufende Bornit. Erze mit hohem Gehalt bilden meist isolierte Vorkommen, bei denen ein Abbau unrentabel wäre, sodass das meiste Kupfer heute aus zwar wenig ergiebigen, aber ausgedehnten Lagerstätten kommt. Die gute Leitfähigkeit des Kupfers macht es für die Elektroindustrie fast unentbehrlich. Eine Legierung aus Kupfer und Zink ergibt Messing, Kupfer und Zinn wird zu Bronze.

Kup[...]

Kup[...] (B[...]

Rohr-muffe aus Kupfer

Verzinkter Nagel

Zinkblende

BESTÄNDIGER NICKEL

Nickel kommt in großen Gabbrointrusionen (S. 17) und in Ablagerungen vor, die aus der Verwitterung von basaltischen Gesteinen entstanden sind. In Form von Rotnickelkies ist er ein Nebengemengteil von Silber- und Chromlagerstätten. Verwendet wird Nickel für korrosionsbeständige Legierungen (Edelstahl) sowie für hitzeunempfindliche, hochfeste Legierungen, wie sie zum Beispiel für den Bau von Düsentriebwerken benötigt werden.

Rotnickelkies

Nickel-Cadmium-Batterie

„BLACK JACK"

...o wurde die Zinkblende ...on den angelsächsischen ...ergleuten genannt. Die-...s wichtigste Zinkerz ...ommt in sedimentären ...esteinen vor, wo es al-...rdings leicht mit ande-...n Mineralien zu ver-...echseln ist. Zink wird ...ute zum größten Teil ...n Galvanisierungsbe-...eben verarbeitet. Dort ...erden Stahlgegenstände ...d -bleche verzinkt, ...n. mit einem dünnen ...nküberzug versehen, ...r sie vor Rost schützt.

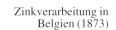

Zinkverarbeitung in Belgien (1873)

Quecksilbererz Zinnober

ROTES QUECKSILBER

Das giftige Zinnober (S. 33) ist das bedeutendste Quecksilbererz. Nur in der Nähe von jüngeren vulkanischen Gesteinen und heißen Quellen ist es in wirtschaftlich interessanter Konzentration vorhanden. Die bekanntesten Produzenten sind China, Spanien und Italien. Quecksilber hat eine sehr hohe Dichte und einen so niedrigen Schmelzpunkt, dass es bei Zimmertemperatur flüssig ist. Es findet Verwendung in der chemischen und pharmazeutischen Industrie.

Quecksilber-Thermometer

...EICHES, SCHIMMERNDES BLEI

...leiglanz, das häufigste Bleierz, wird ...auptsächlich aus Lagerstätten in ...alkstein gewonnen, so auch im Sü-...en der USA. Einige Bleivorkom-...en sind nur wegen ihres hohen ...ilbergehalts wirtschaftlich ab-...aubar. Das korrosionsbestän-...ge Blei ist das dichteste ...nd weichste aller ge-...öhnlichen Metalle. Es ...ird für wieder auf-...dbare Batterien ...enutzt. Außerdem ...ommt Blei im Ma-...hinenbau und ...der Klempnerei ...m Einsatz so-...e, mit Zinn ...rmischt als ...ötmittel.

Bleihaltiger Lötzinn

...eiglanz

Englisches Zinnbergwerk, 19. Jh.

Kristalliner Kassiterit

LEICHT ZU VERARBEITENDES ZINN

Das Zinnerzmineral Kassiterit ist hart, dicht und erosionsbeständig. Solche schönen Kristalle wie in dieser Stufe aus Bolivien sind allerdings relativ selten. Die heutige Verwendung von Zinn basiert auf einer Kombination interessanter Eigenschaften: niedrige Schmelztemperatur, Korrosionsbeständigkeit, Geschmeidigkeit, gute elektrische Leitfähigkeit und Ungiftigkeit. Es wird zu Lötzinn und Weißblech verarbeitet.

Weißblech

Edelmetalle

Gold und Silber gehören zu den ersten Metallen, die entdeckt wurden. Schon immer wurden sie wegen ihrer Schönheit und relativen Seltenheit geschätzt. Als Münzen und Barren waren sie greifbare Wertgegenstände und Hauptzahlungsmittel, außerdem wurden sie zu Schmuck und anderen Artefakten verarbeitet. Platin hingegen wurde in Europa erst Mitte des 18. Jahrhunderts bekannt, als es aus Kolumbien mitgebracht wurde. Zur Herstellung von Münzen und Schmuck wurde dieses Material sogar erst in unserem Jahrhundert verwendet.

Platin

Platin, das heute sogar wertvoller ist als Gold, dient industriell hauptsächlich als Katalysator in den Ölraffinerien und zur Reinigung von Autoabgasen.

SPERRYLITH-KRISTALL
Platin ist Bestandteil einiger Mineralien, zu denen Sperrylith gehört. Dieser schöne Kristall wurde im Transvaal, Südafrika, um 1924 gefunden. Er ist der größte bekannte Sperrylithkristall.

PLATINKÖRNER
Die meisten platinhaltigen Mineralien kommen als winzige Kristalle in Nickellagerstätten vor. Außerdem fällt Platinerz oft als Nebenprodukt bei der Goldförderung an. Diese Kristallkörner stammen aus Rio Pinto in Kolumbien.

RUSSISCHE MÜNZEN
Die während der Herrschaft von Nikolaus I. geprägten russischen Platinmünzen hatten einen Wert von drei Rubel.

PLATIN-NUGGET
Große Platinstücke werden nur sehr selten gefunden. Dieses Exemplar aus dem Ural ist mit 1,1 kg schon beeindruckend, aber noch klein im Vergleich zum größten gefundenen Platin-Nugget, das 9,7 kg wog.

Silber

Weniger wertvoll als Gold und Platin, hat Silber den Nachteil leicht anzulaufen. Massiv oder als Blattsilber wird es in der Schmuckherstellung und für Verzierungen benutzt. Einer der Hauptabnehmer ist auch die Fotoindustrie.

MEXIKANER BEIM ZERSTOSSEN DES ERZES
Diese frühe Zerkleinerungsmethode für Silbererz war zwar primitiv, aber trotzdem effektiv

FEINE SILBERDRÄHTE
Heute fällt Silber meist als Nebenprodukt beim Abbau der Kupfer- und Blei-Zink-Lagerstätten ab. Früher wurde Silber noch in reiner, metallischer Form gefördert. Besonders berühmt sind die „Silberdrähte" der Kongsbergminen in Norwegen.

KELTISCHE BROSCHE
Die Kelten haben aus Silber viele aufwendige Schmuckstücke geschmiedet

SILBERZWEIGE
Manchmal, wie bei diesem Exemplar aus Copiapo (Chile) bildet Silber „dendritische" Formen (S. 46).

RITUELLE GLOCKE
Diese Thora-Glocke bildete mit einer anderen ein Paar und hatte bei jüdischen Zeremonien eine Funktion. Die Glocke wurde im frühen 18. Jh. in Italien angefertigt.

Gold

Dieses vertraute gelbe Metall spielt bei der Schmuckherstellung, in der Zahnmedizin und der Elektronikindustrie eine große Rolle, wenn auch mehr als die Hälfte des mühsam gewonnenen Goldes wieder in die Erde zurückkehrt – als Rücklagen der Banken in unterirdischen Tresoranlagen.

Kupferkies-
kristalle

GOLDMINE um 1900
Der traditionelle Goldabbau war sehr arbeitsintensiv.

DER GROSSE GOLDRAUSCH
Im 19. Jh. schürten Goldfunde in Kalifornien und Australien die Hoffnungen einer großen Anzahl von Goldsuchern, die eifrig begannen Gold zu „waschen".

FALSCHGOLD
Unkundige verwechseln der gleichen Farbe wegen leicht Kupferkies und vor allem Pyrit mit Gold, was dem Pyrit auch den Namen „Katzengold" beschert hat. Kupferkies als wichtigstes Kupfererz ist im Vergleich zu Gold eher grünlichgelb und außerdem spröde und härter, wenn auch nicht so hart wie Pyrit.

Derber
Kupferkies

**QUARZ-
[A]DERGOLD**
[G]old kann in [Q]uarzadern als [w]ertvolle Verkrus[tu]ng eingesprengt sein. [E]s wird ausgesondert, in[d]em aus dem zermahlenen [E]rz ein Konzentrat abgetrennt [u]nd geschmolzen wird.

PYRIT
Pyrit bildet i. Allg. würfelförmige Kristalle und seine Farbe ist im frischen Anbruch blasser als die von reinem Gold. Sie wirkt eher wie die von Weißgold oder Elektrum, einer natürlichen Legierung von Gold und Silber. In jedem Fall ist Pyrit viel härter als Gold.

GOLDKÖRNCHEN
Eine Goldquelle stellen auch die kleinen, gerundeten Körnchen in bestimmten Kiesen und Sanden dar. Diese Ablagerungen werden entweder von Goldgräbern gewaschen oder in großem Maßstab abgebaggert.

[T]anchamuns Halsreif

Pyrit-
kristalle

Pyrit, in Gestein
eingesprengt

ÄGYPTISCHES HANDWERK
Das antike Ägypten gehörte zu den ersten Kulturen, die die Goldschmiedekunst meisterten. Heutzutage wird dem Gold meist Silber oder Kupfer hinzugefügt, um es härter zu machen. Der Goldgehalt wird dann in Karat ausgedrückt.

Schleifen und Polieren

Die älteste Bearbeitungsmethode bestand darin, Steine gegeneinander zu reiben, um glatte Flächen zu bekommen, die dann geschnitten werden konnten. Viel später erwarben die in diesem Gebiet tätigen Steinschleifer die Fähigkeit, aus den wertvollen Edelsteinen bei optimaler Rohsteinerhaltung die bestmöglichen optischen Effekte zu erzielen. In den letzten Jahren haben Amateurschleifer wieder damit begonnen, mittels einer Trommel gerundete Steine nach der uralten Methode des Gegeneinanderreibens zu polieren.

Deutsche A[...]
schleifere[...]

Schleifen der Edelsteine

Viele Edelsteine sehen im Naturzustand stumpf aus (S. 50). Der Steinschneider muss sie so schleifen und polieren, dass ihre natürlichen Qualitäten verstärkt werden. Dabei hat er die Lage von eventuellen Fehlstellen zu berücksichtigen.

DER SCHWIERIGSTE SCHLIFF
Rohe Diamanten werden vor dem Sägen und Schleifen mit Tusche markiert.

BELIEBTE SCHLIFFFORMEN
Die ersten Schliffformen waren relativ einfach wie der Tafelschliff und der Cabochon. Mit der Zeit entwickelten die Schleifer die komplexeren Facettenschliffe, z.B. den Treppenschliff und den Brillantschliff.

Tafel-
schliff   Cabochon   Rose

Smaragd-
oder Treppen-
penschliff   Brillant,
tropfen-
förmig   Brillant,
rund

Trommel

Treibriemen

Walzen

Tron[...]
d[...]

DAS TROMM[...]
Viele Amateursch[...]
benutzen eine auf[...]
zen liegende Trom[...]
Die Mineral- ode[...]
steinsfragmente we[...]
zunächst mit e[...]
groben Schleifband[...]
Wasser etwa eine [...]
che lang in der T[...]
mel gewälzt. Diese [...]
zedur wird mit fein[...]
Schleifmitteln wi[...]

Während der Behä[...]
rotiert, werden die [...]
ne rund geschliffen

Unbehandelte Mineralbrocken, bereit für das Trommeln

SCHLEIF- UND POLIERMITTEL
Verschiedene Schleifmittel werden in der Reihenfolge ihrer Korngröße eingesetzt.

Wasse[...]

Sc[...]
r[...]
z[...]

Grobkörniges Schleif-
mittel für den ersten
Durchgang

Feinkörniges Schleifmittel für den zweiten Durchgang

Ceroxyd, ein
feines Polierm[...]
verleiht den Ste[...]
zum Schluss G[...]

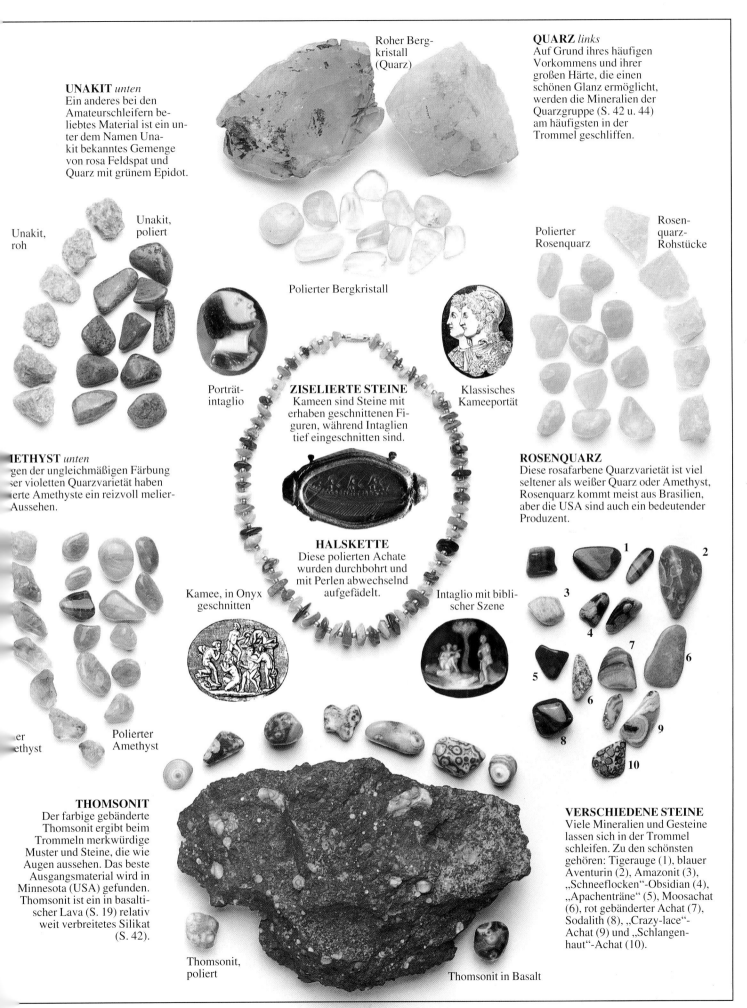

UNAKIT *unten*
Ein anderes bei den Amateurschleifern beliebtes Material ist ein unter dem Namen Unakit bekanntes Gemenge von rosa Feldspat und Quarz mit grünem Epidot.

Roher Bergkristall (Quarz)

QUARZ *links*
Auf Grund ihres häufigen Vorkommens und ihrer großen Härte, die einen schönen Glanz ermöglicht, werden die Mineralien der Quarzgruppe (S. 42 u. 44) am häufigsten in der Trommel geschliffen.

Unakit, roh

Unakit, poliert

Polierter Rosenquarz

Rosenquarz-Rohstücke

Polierter Bergkristall

Porträt-intaglio

ZISELIERTE STEINE
Kameen sind Steine mit erhaben geschnittenen Figuren, während Intaglien tief eingeschnitten sind.

Klassisches Kameeporträt

...ETHYST *unten*
...gen der ungleichmäßigen Färbung ...ser violetten Quarzvarietät haben ...erte Amethyste ein reizvoll melier-...Aussehen.

ROSENQUARZ
Diese rosafarbene Quarzvarietät ist viel seltener als weißer Quarz oder Amethyst, Rosenquarz kommt meist aus Brasilien, aber die USA sind auch ein bedeutender Produzent.

HALSKETTE
Diese polierten Achate wurden durchbohrt und mit Perlen abwechselnd aufgefädelt.

Kamee, in Onyx geschnitten

Intaglio mit biblischer Szene

...er ...ethyst

Polierter Amethyst

1
2
3
4
5
6
7
6
8
9
10

THOMSONIT
Der farbige gebänderte Thomsonit ergibt beim Trommeln merkwürdige Muster und Steine, die wie Augen aussehen. Das beste Ausgangsmaterial wird in Minnesota (USA) gefunden. Thomsonit ist ein in basaltischer Lava (S. 19) relativ weit verbreitetes Silikat (S. 42).

VERSCHIEDENE STEINE
Viele Mineralien und Gesteine lassen sich in der Trommel schleifen. Zu den schönsten gehören: Tigerauge (1), blauer Aventurin (2), Amazonit (3), „Schneeflocken"-Obsidian (4), „Apachenträne" (5), Moosachat (6), rot gebänderter Achat (7), Sodalith (8), „Crazy-lace"-Achat (9) und „Schlangenhaut"-Achat (10).

Thomsonit, poliert

Thomsonit in Basalt

Gesteine und Mineralien sammeln

Das Sammeln von Mineralien und Gesteinen und die Registrierung der Funde sind ein lohnender und beliebter Zeitvertreib. Die Tradition dieses Hobbys geht auf die Amateurgeologen des 19. Jahrhunderts zurück, die zum Teil eindrucksvolle Sammlungen zusammenstellten.

DIE WERKZEUGE DES SAMMLERS

Die Grundausrüstung besteht aus einem Geologenhammer von 0,5 bis 1 kg Gewicht und ein paar Meißeln. Geologenhämmer haben eine flache und eine keilförmige Seite, die eine zum Zerschlagen, die andere zum Brechen und Spalten des Gesteins. Sie sind speziell für diesen Zweck gehärtet. Andere Hämmer, die eher zersplittern können, sollten nicht benutzt werden.

Geologenhamme
(0,5 kg)

Schwerer Hammer
zur Arbeit mit dem
Meißel

Flachmeißel

Spitzer Meißel

Ham
zum
richte
Geste
sprob

SORGFÄLTIGE PLANUNG

Alle Geländeunternehmungen und Sammelausflüge sollten anhand geologischer Führer und Karten vorbereitet werden. Wenn nötig, sollte die Erlaubnis zum Betreten privater Grundstücke eingeholt werden. Wenn man allein sammeln geht, sollte man jemandem die beabsichtigte Route und das Ziel mitteilen. Man sollte auch stets zur Orientierung einen Kompass mit sich führen und sich daraus ergebende Hinweise notieren.

GELÄNDE-ARBEIT

Geologen des 19. Jh.s. haben im Gelände die Techniken des Sammelns und des Kartierens der Gesteine entwickelt.

Karte

Kompass

Führer

SCHUTZKLEIDUNG

Beim Arbeiten mit dem Hammer besteht große Verletzungsgefahr durch scharfe Steinsplitter. Schutz bieten Brille, Handschuhe und Sicherheitshelm. Unentbehrlich sind kräftige Schuhe und wasserfeste Kleidung.

Arbeitshandschuhe

Sicherheitshelm

Schutzbrille

☞ HINWEIS

Es gibt Regeln, die man im Gelände stets befolgen sollte: um Erlaubnis bitten, wenn man Privatgrundstücke betreten möchte; sich an die Umweltschutzbestimmungen halten; weder Tiere stören noch andere in Gefahr bringen; zweckmäßige Kleidung tragen und geeignetes Werkzeug mit sich führen. ✍

REGISTRIERUNG DER FUNDE

Der genaue Fundort sollte mit weiteren Bemerkungen gleich in ein Geländebuch notiert und das Stück mit Stift oder Klebeband sorgfältig numeriert werden. Ein Foto oder eine Skizze vor der Entnahme liefern eine bleibende Dokumentation des Fundes in seinem ursprünglichen Zustand.

Geländebuch

Bleistift

Schreiber

BESTIMMUNG

Für die Betrachtung der Fundstücke an Ort und Stelle ist eine kleine Lupe mit zehnfacher Vergrößerung ideal.

Kamera für Übersichts- und Detailaufnahmen. Man sollte immer versuchen einen Gegenstand als Maßstab in die Bilder einzubeziehen.

Spatel für Feinarbeiten wie das Herauslösen der Fossilien aus dem Gestein

Skalpell für feine Präparierarbeiten an Fossilien

Streichmesser zum Ausgraben von Mineralien und Fossilien aus weichen Gesteinen

Baumwollsäckchen

Zeitungspapier

TRANSPORT DER FUNDE

Jedes Stück sollte zum Schutz vor Bruch und Kratzern einzeln in Zeitungspapier oder anderes Material gewickelt werden. Kristallstufen, die oft sehr empfindlich sind, sollten in Dosen mit geeigneter Umhüllung gepackt werden.

Kunststoffdose

Luftgepolsterte Plastikfolie

Verschließbare Platiktüten

WERKZEUG FÜR FEINARBEITEN

Mit Wasser und einer weichen Bürste können die Funde schonend vom umgebenden Material befreit werden. Weiche, leicht zerbröckelnde Gesteine wie z.B. Ton lassen sich mit einer Kelle lockern und dann durchsieben, um kleine Mineralien und Fossilien auszusondern.

AUFBEWAHRUNG DER SAMMLUNG

Um Beschädigungen vorzubeugen, sollten die Sammelstücke einzeln auf kleinen Tafeln oder Schachteln in einem Schrank mit flachen Schubladen aufbewahrt werden. Es gibt Mineralien, die durch Feuchtigkeit, hohe Temperaturen oder Lichteinwirkung Schaden nehmen können.

Kelle zum Graben in weichen Gesteinen

Sieb zum Trennen des Materials

Malerpinsel zum Reinigen der Fundstücke

Pappkästchen zur Aufbewahrung der Sammelstücke

Etiketten und Schildchen zur Dokumentation der Sammelstücke

Register

A

Achat 53, 61
Albit 43
Almandin 55
Aluminium 56
Amazonit 42, 61
Amethyst 55, 61
Ammoniten 39
Amphibole 42
Andesit 10
Anorthit 43
Antimonit 48
Apachenträne 61
Apatit 49
Aphthitalit 19
Aquamarin 50
Aragonit 46
Asbest 46
Asche 15, 18, 21
Asterotheca 38
Augit 43
Auripigment 32
Autunit 49
Aventurin 61
Axinit 45
Azurit 32

B

Backstein 35
Baryt 45, 48
Basalt 8, 9, 10, 16, 17, 19, 42, 61
Bauxit 13, 56
Bergkristall 44, 61
Bernstein 14
Beryll 45, 46, 50
Bims 19
Biotit 16, 43
Blei 57
Blutjaspis 53
Brekzien 18, 21, 27
Brillantschliff 50, 60
Bronze 56

C, D

Cabochon 51, 52, 53, 60
Cerussit 45
Chalkanitit 9
Chalzedon 52
Chiastolithschiefer 24
Chlorit 46
Chrysopras 52
Demantoid 55
Diamant 6, 48, 49, 50, 60
Dichte 49
Diorit 30, 42
Dolerit 12
Doppelbrechung 49

E

Edelmetalle 6
Edelsteine 6, 50–55
Edwards-Rubin 51
Eisen 56
Eklogit 25
Eldfell-Vulkan 18
Enstatit 43
Erze 6, 9, 56, 57, 58

F

Farbstoffe 32, 33
Feldspate 8, 10, 16, 42, 43
Feueropal 51
Feuerstein 28-29
Fleckschiefer 24
Flintknollen 15, 20, 28
Flöze 37
Fluoreszenz 49
Fluorit 49
Foraminiferen 20
Fossilien 6, 20, 38, 39

G

Gabbro 10, 17
Gagat 36
Galenit 48, 49
Geschiebemergel 13
Gesteinsbildende Mineralien 42–43
Gesteinsentstehung 10–11
Giant's Causeway 16
Gips 21, 45, 49
Glas 15, 16
Glimmer 8, 42, 46, 49
Glimmerschiefer 10, 11, 14, 24, 46
Gneis 10, 11, 25, 42
Gold 6, 58, 59
Goniometer 45
Granate 24, 46, 55
Grand Canyon 21
Granit 7, 8, 10, 13, 15, 16, 17, 35, 42
Graphit 48
Grossular 55
Grotte de Niaux 32
Grundmoräne 13

H, I, J

Halit 21, 47
Halley'scher Komet 41
Hämatit 32, 33
Härte 49
Heliodor 50
Hessonit 55
Holzkohle 32
Hornblende 42
Hornfels 24
Illit 43
Intaglien 61
Jade 53
Jadeit 53

K, L

Kalkstein 6, 7, 13, 20, 22, 23, 34, 39
Kalzit 17, 22, 43, 46, 48, 49
Kalzium 43
Kameen 53, 61
Kaolinit 43
Karbonate 43
Karneol 53
Kassiterit 6, 57
Kies 14, 15, 50, 51
Kieselsäure 42
Kimberlit 6, 50
Kohinoor 50
Kohle 7, 36, 37
Kohlenstoff 48
Konglomerate 21, 31
Korund 49, 51
Kreide 15, 20, 32
Kristalle 6, 44–47
Krokoit 32
Kupfer 46, 56
Kupferkies 32, 46, 47, 56, 57
Lapislazuli 33, 52
Lava 7, 28, 29
Leucit 43
Liparit 19

M

Madonna von Medici 26

Magmatische Gesteine 7, 9, 10, 16, 17
Magnetismus 49
Magnetit 49
Magnetkies 49
Malachit 32
Marmor 24, 26, 27, 31
Marsgestein 41
Metamorphe Gesteine 11, 14, 24, 25
Meteoriten 40–41
Migmatite 10, 25
Mikroklin 42
Mohs-Skala 49
Molybdänit 32
Mondgestein 41
Mont Pelée 9
Montmorillonit 43
Monument Valley 12
Morganit 50
Morteratschgletscher 13
Mount St. Helen 18
Muschelkies 14
Muskovit 42

N

Natrium 43
Nautilus 39
Nephelin 43
Nephrit 53
Neuropteris 38
Nickel 57
Nil 7
Norit 9
Notre Dame 35
Nummulitenkalk 34

O

Obsidian 16, 19, 29, 53, 61
Ocker 32
Olivin 8, 9, 17, 19, 43, 54
Ölschiefer 36
Onyx 52, 61
Oolithen 20, 34
Opal 51
Orthoklas 42, 43, 49
Ostafrika 7

P

Pammukale-Sinterterrassen 23
Parthenon 13

Pechstein 16
Pegmatite 9, 43, 50
Peridot 54
Peridotit 17
Plagioklas 17, 43
Plan de Sales 22
Platin 6, 58, 59
Polieren 60
Porphyre 17
Puy de Dôme 10
Pyrit (Katzengold) 11, 44, 59
Pyroklastische Gesteine 18
Pyrop 55
Pyroxen 8, 17, 19, 43

Q, R

Quarz 6, 8, 10, 15, 42, 44, 46, 48, 49, 59, 61
Quarzit 30, 42
Quecksilber 57
Realgar 33
Rippeln 14
Rosenschliff 55, 60
Rotnickelkies 57
Rubin des Schwarzen Prinzen 54
Rubin 51

S

Sand 10, 11, 12, 14, 15
Sandstein 11, 12, 21, 35
Santorin 15
Saphir 51
Schiefer 14, 25, 34
Schleifen 60
Schmucksteine 52-53
Schnecken 39
Schneeflocken 45
Sedimentgesteine 7, 9, 10, 20–23
Serpentin(it) 17
Siderit 45
Silber 6, 58, 59
Skolezit 46
Smaragde 50
Spaltbarkeit 48
Speckstein 32
Sperrylith 58
Spezifisches Gewicht 49
Spinell 54
Stalakmiten 22, 23
Stalaktiten 9, 22, 23

Standarte von Ur 52
Staurolith 45
Steinerner Wald 23
Steinwerkzeuge 28, 29, 30, 31
Sternsaphir 51
Strandgerölle 6, 14, 15

T

Tadsch Mahal 27
Tafelschliff 50, 60
Talk 49
Thomsonit 61
Tigerauge 61
Tillite 13
Titan 56
Tone 11, 13, 21, 25, 32, 43
Topas 49, 54
Torf 37
Travertin 23, 27
Tremolit 45
Treppenschliff 60
Tuffe 18, 21, 22
Türkis 52
Turmalin 32, 55
Tutanchamun 53, 59

U, V, W

Umbra 32
Unakit 61
Verwitterung (Erosion) 11, 12, 13
Vesuv 19
Vesuvian 45
Vulkanische Gesteine 7, 9, 10, 15, 16, 18, 19
Wulfenit 9

Z

Zement 35
Ziegelstein 15, 35
Zink 57
Zinkblende 46, 57
Zinn 56, 57
Zinnober 32, 33, 57
Zirkon 54
Zitrin 6
Zuckerhut 10
Zwillinge 45

Bildnachweis

o = oben, u = unten, m = Mitte, l = links, r = rechts

Didier Barrault/Roger Harding/Picture Library: 37mr
Bridgeman Art Library/Bonhams, London: 55mr
Paul Brierley: 49u, 51m
British Museum (Natural History): 42m, 43
N. A. Callow/Robert Harding Picture Library 13u
G. & P. Corrigan/Robert Harding Picture Library: 23o
Diamond Information Centre: 60m
C. M. Dixon/Photoresources: 11u, 14o, 15u, 19u, 32u

Earth Satellite Corporation/Science Photo Library: 7o
Mary Evans Picture Library: 6o, 8, 9m, 12u, 15u, 16ol, 19o, 25, 26u, 28u, 30ul, 31u, 32o, 34o, ml, 36o, 37o, ul, 39u, 40o, 41o, 44or, 50or, ur, 56mr, 57m, 58ol, or, 59ol, u, 62o, m
Clive Friend/Woodmansterne Ltd.: 15m, 36u
Jon Gardey/Robert Harding Picture Library: 40u
Geosience Features: 18o
Mike Gray/University College London: 17, 20or, 24or
Ian Griffiths/Robert Harding Picture Library: 13o, 13m, 18ur, 21, 22ul, 23m, 27o, u, 35o, u, 56o, 59m
Brian Hawkes/Robert Harding Picture Library: 12m

Michael Holford: 50ol, ul, 51o, 54o, mr, 55o, ml
Glenn I. Huss: 40m
The Hutchinson Library: 35m, 51u, 56ml
Yoram Lehmann/Robert Harding Picture Library: 37ml
Kenneth Lucas/Planet Earth: 39o
Johnson Matthey: 58ul
Museum of London: 28o, 32m, 61ol, ur
NASA: 41ur
NASA/Robert Harding Picture Library: 6-7, 7u
NASA/Spectrum Colour Library: 11o
National Coal Board: 37ur
Walter Rawlings/Robert Harding Picture Library: 26m, 33u
John G. Ross/Robert Harding Picture Library: 53
K. Scholz/ZEFA: 10u

Nicholas Servian/Woodmansterne: 34mr
A. Sorrell/Museum of London: 29o
Spectrum Colour Library: 10m
R. F. Symes: 9or
A. C. Waltham/Robert Harding Picture Library: 22ur
Werner Forman Archive: 29u, 30ur, 31ol, ml, 52o, u, 55u, 61m
G. M. Wilkins/Robert Harding Picture Library: 47
Woodmansterne: 58ur
ZEFA: 16or
Zeiss: 41ul
Mit Erlaubnis britischer Behörden abgedruckt: 54ml

Illustration: Andrew McDonald 6m, u, 14ml, 18ul, 22ml, 28mr, 30mr